André Maurois

ÊTRE
MAIRE COMMUNISTE

FERNAND DUPUY

ÊTRE
MAIRE COMMUNISTE

CALMANN-LÉVY

ISBN 2-7021-0067-8

© CALMANN-LÉVY, 1975
Imprimé en France

A mes parents

« *Ils ont leur but*
dans la vie des autres. »

Paul ELUARD

Avant-propos

NÉ en Dordogne en *1917*, *instituteur par la suite
en Haute-Vienne, me voici maire de Choisy-le-
Roi, dans la banlieue parisienne. Pourtant, je ne
suis pas « monté à Paris » pour y faire carrière ; ni
à la manière de Rastignac, ni à la manière des maçons
de chez moi.*

*Le chemin qui m'a conduit du Périgord vert à la
région parisienne, c'est tout simplement le chemin
du parti. C'est par le parti communiste que je suis
arrivé là : à Choisy-le-Roi et pas ailleurs. A Choisy-le-
Roi, où habitait Maurice Thorez dont je suis devenu,
en 1948, le secrétaire particulier.*

*Je vais donc suivre ce chemin... le chemin par-
couru par un militant et qui l'a conduit à être maire.*

*Il ne s'agit nullement pour moi d'écrire une thèse
marxiste définitive sur la condition du maire communiste et pas davantage de rédiger le manuel du
« parfait maire »... comme on écrit le livre de la
« parfaite cuisinière ». L'association du maire et de
la cuisinière étant ici tout à fait fortuite... encore
que Lénine ait souhaité que chaque cuisinière puisse*

diriger les affaires de l'Etat, donc, évidemment, les affaires de la cité.

Et voilà Lénine mêlé d'entrée à mon affaire...

Ma petite fille qui lit par-dessus mon épaule a aussitôt réagi :

« Ça promet ton bouquin !

— Comment, ça promet ?

— Ben, si tu cites Lénine dès la première page, tu n'as pas fini de nous administrer tes principes marxistes. »

Je dois préciser que ma petite fille est une grande fille de quinze ans, qui raisonne de tout avec beaucoup d'esprit critique et qui est allergique à cette manière qu'ont parfois les communistes de ne pouvoir écrire ou parler sans citer Marx, Lénine... On appuie sur le bouton et on reçoit une giclée de marxisme : comme l'a dit Lénine... la crise du capitalisme monopoliste d'Etat, le C.M.E., etc.

Me voilà donc prévenu... et le lecteur par la même occasion.

« Mais alors, ce sera quoi ton bouquin ? Qu'est-ce que tu veux prouver ? Qu'un maire communiste est un meilleur maire que celui qui n'est pas communiste ?

— Ecoute, je voudrais tout bonnement montrer qu'un maire communiste c'est d'abord un homme comme les autres ; ensuite, essayer de répondre aux questions que l'on pose ou que l'on se pose et qui font l'originalité d'un maire communiste. Par exemple : comment devient-on maire quand on est communiste ? Qui décide et comment ça se passe ? Et quand on est élu, quels sont les rapports avec le parti ? Qui dirige : le parti ou le maire ? Comment est-on rétribué ? »

On parle souvent de la banlieue rouge, des bas-

tions communistes. Alors, c'est quoi un maire commu-
niste ? Un carcan du parti sur la ville, un tremplin
pour la révolution... pour le grand soir ?

Sinon, n'y a-t-il pas une contradiction évidente
entre le caractère révolutionnaire du parti commu-
niste et l'administration légale d'une ville ? Les
communistes ne sont-ils pas devenus les gérants loyaux
du capitalisme ? ne se sont-ils pas embourgeoisés ?
Et comment s'établissent les rapports avec les pou-
voirs de tutelle ? avec le préfet, avec les ministères ?
Les communes administrées par les communistes ne
sont-elles pas pénalisées et la population n'en souffre-
t-elle pas ? Les impôts ne sont-ils pas plus lourds dans
les municipalités communistes ?

Il n'est peut-être pas inutile d'essayer de répondre
à toutes ces questions ; à d'autres aussi qui viendront
tout naturellement ; par exemple : l'administration
d'une ville est-elle affaire politique ? On dit souvent
que la gestion des affaires de la cité relève unique-
ment de bons administrateurs. Qu'un bon maire,
c'est avant tout un bon P.-D.G. Qu'en est-il en
réalité ?

On peut bien décréter que la gestion des affaires
d'une ville est affaire d'administrateurs avec un
grand A, qu'elle est apolitique, mais les faits ne
s'inscrivent-ils pas en faux contre une telle affir-
mation ?

Les élus mêlent-ils la politique à tout ? ou est-ce
la politique qui se mêle de tout ? La moindre
démarche d'un maire n'a-t-elle pas toujours des impli-
cations politiques ? Qu'il s'agisse du logement, de
l'emploi, de la construction d'une école, d'une
crèche... Ne débouche-t-on pas toujours sur une
question de crédits, donc d'impôts, donc de budget,
donc de choix politiques ?

*Tous les maires en tout cas s'accordent à consi-
dérer que les conditions dans lesquelles ils sont actuellement contraints d'administrer leurs communes sont
proprement intolérables.*

Alors, quelle solution ? Quelles solutions ?

*En quoi pourrait consister une politique munici-
pale démocratique ?*

*Le Programme commun de la Gauche définit les
grandes options d'une telle politique. A partir de
ces options, je formule quelques réflexions et des
suggestions sur les conditions d'une véritable démocratisation du système municipal qui me paraissent
déterminantes : le mode d'élection, la responsabilité
des élus, les finances, la participation (autogestion ?
autonomie ?), la maîtrise des sols, le personnel communal, la coopération intercommunale.*

*Ma seule ambition est d'apporter une modeste
contribution à la recherche de solutions concrètes.
Je dis bien à la recherche et c'est pourquoi sur les
sujets les plus complexes je me garde de trancher.
Je ne suis nullement docteur ès sciences municipales ; ce n'est donc pas en « spécialiste » que j'aborde
les questions mais en maire, dont l'expérience est
loin d'être universelle ; en militant communiste et...
en homme tout simplement.*

*Sans sous-estimer les structures qui constituent la
base fondamentale de l'édifice ou les aspects techniques, je considère qu'aucune technique, aussi avancée
soit-elle, qu'aucun principe, si grand qu'il soit, ne
résoudront rien si le souci de l'homme ne guide pas
l'élu.*

*Comment vivent les hommes et les femmes, les
enfants, les jeunes et les vieux de la commune ?
Quels sont leurs difficultés, leurs besoins, leurs
aspirations ? Il faut le savoir pour construire un*

système municipal, non pas pour eux — un tel système serait octroyé d'en haut — mais par eux, avec eux.

Le lecteur trouvera dans ce livre certains chapitres qui n'ont qu'un rapport assez lointain avec les problèmes municipaux proprement dits. Le passé de la ville de Choisy, mes rapports avec Maurice Thorez et aussi une promenade en Limousin où il ne sera question ni de politique ni de problèmes municipaux, mais seulement de la nature : des arbres, des oiseaux et de leurs amours, des ruisseaux et des truites... Pour être maire communiste, on n'en est pas moins homme. Oui ; c'est vrai, j'aime les fleurs, les petits oiseaux et la pêche à la truite !... Surtout la pêche à la truite.

Tout cela mêlé — les réflexions du militant communiste, du maire et de l'homme — fait-il un ouvrage homogène répondant aux canons de la littérature ? Surement pas.

Ce livre en définitive ne ressemble à rien, qu'à son propre désordre ; il vaut mieux que le lecteur en soit prévenu.

PREMIERE PARTIE

DU LIMOUSIN A... CHOISY-LE-ROI

CHAPITRE PREMIER

« *Communiste de naissance* »

J E suis né à Jumilhac-le-Grand, et j'ai vécu en
Dordogne, puis en Haute-Vienne, jusqu'à l'âge
de 23 ans. Elève-maître à l'Ecole normale de Limoges,
instituteur en 1937, rien ne semblait pouvoir me
détourner d'une longue carrière d'enseignant —
d'autant moins que j'aimais passionnément mon
métier.

Par quel cheminement suis-je donc devenu militant communiste, puis maire dans la région parisienne ? Tout simplement, je crois bien, parce que
je suis né communiste, comme on naît vicomte ou
curé, bègue ou bossu. Mes grands-parents et mes
parents m'ont imprégné de leur vie, de leurs idées,
de leurs espoirs et de leurs colères. Pas du tout comme
on gave les oies, chez moi, au pays du foie gras, mais
tout naturellement, comme la vache donne son lait,
ou la source son eau.

Certains viennent au communisme comme on va
à la fontaine (Picasso), d'autres par un long cheminement de pensée, d'expérience de la vie... Pour moi,
la réflexion philosophique et politique, l'expérience

sont venues après ; elles n'ont fait que renforcer mon choix initial, mes convictions.

Voici mon premier souvenir « politique ». J'avais six ou sept ans. Mon grand-père était métayer et, tous les mercredis, il allait avec ma grand-mère au marché de Jumilhac vendre quelques poulets et des fromages de chèvre.

Le député du coin, un bon conservateur qui régnait sur ses terres et condescendait volontiers à se mêler à ses sujets, distribuait avec générosité poignées de main et vérités d'évidence. Ce mercredi-là donc, Monsieur le député se pavanait. S'approchant de mon grand-père, il lui tendit la main... mais cette main resta pendante. Mon grand-père avait refusé de la prendre.

« Non, monsieur le député, on n'est pas du même bord ! »

L'effet fut prodigieux. Tous les paysans étaient atterrés. Un grand silence se fit... on attendait, comme avant l'orage, les éclairs, le tonnerre. Mais il n'y eut aucun cataclysme. Monsieur le député tourna les talons et s'en fut piteusement.

Mon grand-père, lui, ne triompha nullement ; il reprit avec un ami la conversation un instant interrompue... comme si rien ne s'était passé.

N'empêche que l'on parla longtemps dans le village du coup d'éclat du père Dupuy...

Quant à moi, je ne sais plus très bien si l'admiration l'emporta sur l'inquiétude mais, par la suite, j'ai souvent pensé qu'avoir le courage de ses idées, c'était sans doute ça, tout simplement.

Pourtant, mon grand-père ne « faisait » pas de « politique ». Il n'adhérait à aucun parti. Mais il avait ses idées. Il me disait souvent : « Tu sais, la politique, ça paraît très compliqué, mais c'est tout

simple ; d'un côté, il y a les gros et, de l'autre, les
petits ; seulement, les gros emmêlent tout pour
tromper les petits... »

Le raisonnement est peut-être un peu simpliste...
ne traduit-il point pourtant profondément la réalité ?

En tout cas, j'étais déjà du côté des petits et, tout
naturellement, je cheminais dans cette voie que mon
père avait lui aussi empruntée résolument.

Communiste depuis toujours, mon père a participé
à toutes les grandes luttes ouvrières, à toutes les
campagnes électorales et, à 82 ans bien sonnés, il
est toujours présent sur la brèche. Anticlérical, anti-
militariste, sectaire, il avait toutes les « qualités »
du « parfait » communiste. Je dis, il avait, car il
s'est aujourd'hui assagi avec, toutefois, quelques
petites poussées de fièvre qui font le désespoir de
ma mère, communiste, elle aussi, mais qui a toujours
combattu les violences verbales, le sectarisme et
l'étroitesse.

Enfant donc, je baignais dans cette atmosphère
de la lutte des petits contre les gros ; c'était l'époque
où les « gros » collaient cette affiche effrayante de
l'homme au couteau entre les dents ; cette affiche
que mon père arrachait en plein jour avec des colères
terribles... l'époque où se déroulaient des réunions
électorales retentissantes...

Bref, il n'est guère étonnant que vivant dans cette
atmosphère je sois arrivé à dix-huit ans avec une
formation « exemplaire » : anticléricale, antimilita-
riste et sectaire.

C'est ainsi, par exemple, qu'à l'Ecole normale,
j'étais le seul de ma promotion à ne pas faire de
préparation militaire ; je ne m'en vante pas, c'était
ainsi, voilà tout. Et j'ai gardé le souvenir de quelques
séances à l'étude du soir où seul contre tous, j'essayais

d'administrer mes vérités... et comment, à bout
d'arguments, j'avais recours aux dernières ressources
de ma dialectique : crayons, règles, livres et cahiers
qui voltigeaient en arguments frappants, sinon
convaincants.

Bien entendu, une nature aussi généreuse me
valut quelques ennuis... et je fus à deux doigts d'être
renvoyé de l'Ecole normale « pour activités incompa-
tibles avec la bonne marche de l'établissement » (il
fallut une intervention personnelle de Jean Zay,
alors ministre de l'Education nationale).

Mais laissons ces détails sinon je n'arriverai jamais
au bout du chemin qui m'a conduit à la mairie de
Choisy-le-Roi.

Précisons toutefois que dès 1937 — à ma sortie
de l'Ecole normale — je donnais mon adhésion au
parti communiste français.

CHAPITRE II

De la Résistance à la Libération

Donc, et pour couper au plus court, nous voici en 1939 à la veille de la guerre. J'étais instituteur. Comme j'aimerais, à cette étape de ma vie, faire une longue halte pour conter la plénitude du beau métier de maître d'école dans un village du Limousin. A l'époque, où il fallait scier le bois, allumer le poêle, balayer la classe...

Il m'arrive souvent aujourd'hui, au hasard de mes quêtes au bord des ruisseaux, de rencontrer quelques-uns de mes anciens élèves. Ils n'ont pas oublié leur maître d'école ; c'est assez pour mon bonheur, assez aussi pour me faire regretter mon métier, mon ancien métier.

Mais, à quoi bon des regrets ! d'ailleurs, je ne regrette rien ; « rien de rien ; ni le mal qu'on m'a fait, ni le bien... rien », comme chantait Edith Piaf... Une vie nouvelle va commencer ou, plutôt, c'est ma vie qui continue.

La guerre d'Espagne me vaudra une première mesure disciplinaire. Pour m'être occupé un peu trop de la solidarité en faveur des réfugiés espagnols, je suis « déplacé » à l'autre bout du département.

Un peu plus tard, ce sera l'arrestation, en décembre 1940. C'était pendant les vacances de Noël. J'étais revenu à la « maison » chez mon père, facteur-receveur dans la commune où j'avais été d'abord écolier, puis instituteur avant qu'on ne me déplace. Le lendemain de mon retour, les gendarmes vinrent à « la poste » où ils bavardèrent longuement avec mon père... sans arriver à dire l'objet de leur visite.

Ils se décidèrent enfin :

« Monsieur Dupuy, nous sommes chargés de vous arrêter, vous et votre fils.

— Nous arrêter ! Vous voulez dire, nous mettre en prison ?

— Oui.

— Mais pourquoi ?

— Nous avons un mandat d'arrêt, c'est tout ce que nous savons.

— Bon.

— Vous comprenez, Monsieur Dupuy, nous, nous n'y sommes pour rien...

— Bien sûr, bien sûr. »

Le temps de rassembler un peu de linge dans une valise, de dire au revoir... ma femme, mon fils, ma mère. L'instant fut dur. Partir entre deux gendarmes comme un malfaiteur... Passer la nuit à la gendarmerie. Vivre, menottes aux mains, le transfert vers un camp de concentration... Les menottes : c'est froid, c'est dur, c'est infamant. Dans la traversée de Limoges, dans le train ensuite... Les gens qui vous regardent : qu'est-ce qu'ils ont fait ces deux-là ? Ils ont volé ? Tué quelqu'un peut-être ? J'avais envie de crier : mais non, nous ne sommes pas des malfaiteurs, nous sommes des communistes, mon père et moi, de braves gens !

Oui, des communistes ; mais c'était en 1940, où

les communistes étaient au ban de la nation, traqués, pourchassés, arrêtés.

La signature du pacte germano-soviétique n'explique pas tout. Cette haine contre les communistes, ce fut aussi un réflexe de classe et, pour beaucoup, l'occasion de la vengeance. L'anticommunisme fut érigé à la hauteur d'une véritable institution et c'est ainsi que des milliers de communistes furent arrêtés, torturés, déportés, fusillés...

L'anticommunisme... je ne pense pas qu'il en faille parler à tout propos et hors de propos. Il plonge ses racines loin et profond.

Pour l'instant, restons en prison, ou plutôt dans un camp de concentration, à Saint-Germain-les-Belles, puis à Nexon ; quelques baraquements en planches en plein hiver ; il faisait froid, très froid. Le matin, au-dessus de nos têtes, la chaleur de la respiration condensait l'humidité qui se formait en stalactites de glace tombant des bat-flanc. Nous étions là quelques centaines : les « politiques » et les « droits communs » mélangés : celui qui avait volé et celui qui était honnête. Nous partagions la même soupe, les mêmes rutabagas et nous avions le même lot de punaises et de poux — ces horribles poux rouges. Les conditions n'étaient ni pour les uns ni pour les autres de celles qui vous font vous engager sur le chemin de la « rédemption »... En tout cas, pour nous, le camp devint rapidement un foyer et un creuset où se trempaient nos convictions, notre idéal.

Mon séjour en ces lieux fut assez bref. Dans mon village, l'émotion avait été grande et ce n'était pas encore l'époque où sévissaient la milice et la gestapo. Nous fûmes libérés, mon père et moi, et mis en résidence surveillée.

Je retrouvai mon métier dans un nouveau poste...

mais déjà les premiers maquis s'organisaient dans la région.

L'organisation du travail clandestin conduit à résoudre de multiples petits problèmes matériels. Pour faire des tracts il faut du papier, une machine à écrire, de l'encre... Pour faire vivre un maquis il faut du pain, de la viande, des légumes... L'instituteur allait vite devenir un homme de la nuit, non pas un voleur, mais un pourvoyeur de la nécessité.

C'est ainsi, par exemple, que la nécessité exigeait une machine à écrire. Alors, avec la complicité de la secrétaire de mairie d'une commune voisine, j'organisais la « récupération » de « sa » machine...

C'est ainsi encore que pour alimenter les maquis il fallait absolument se procurer des tickets d'alimentation ; le pain, le sucre, la viande n'étaient délivrés que contre remise de ces fameux tickets. Alors, avec mon directeur d'école, qui était aussi secrétaire de mairie, nous organisions une mise en scène pour simuler le vol, par effraction, des tickets.

Mais il y avait surtout le « placement » des maquisards. Très vite on sut dans la région que l'instituteur s'occupait du maquis. Dès lors, tous les jeunes gens qui ne voulaient pas partir au S.T.O. se donnaient rendez-vous chez moi... le samedi soir. Je vois encore ma salle de classe remplie de jeunes, avec leurs musettes et leurs baluchons.

J'étais devenu un véritable bureau de placement. Il ne manquait guère sur mon école que l'enseigne : « Ici on recrute pour le maquis. »

L'entreprise était évidemment devenue dangereuse. La direction départementale de mon parti me demanda alors de quitter mon domicile et mon emploi pour devenir « illégal ».

Un docteur me délivra un certificat médical sur

la foi duquel je quittais mon poste... et l'enseignement pour toujours.

Je fus tout d'abord chargé de quelques missions
particulières à l'organisation du parti en Haute-
Vienne pour devenir, ensuite, responsable du parti
pour les départements de la Corrèze et du Lot. J'étais
le « polo », c'est-à-dire le responsable politique chargé
à ce titre de l'organisation du parti, des francs-tireurs
et partisans français, des Jeunes communistes, de
l'organisation paysanne... J'avais à mes côtés l'O.P.
— responsable de l'organisation et de la propagande — et le responsable aux cadres. Nous consti-
tuions ainsi le triangle de direction ; ce triangle que
l'on retrouvait ensuite à tous les échelons.

C'est ce triangle qui dirigeait tout le travail de la
résistance au gouvernement de Vichy et à l'occupant
nazi.

Peut-être un jour écrirai-je quelques souvenirs de
cette période ; je voudrais pourtant souligner ici
que dans tout ce qui a été écrit sur les F.T.P.F. [1] —
du moins pour ce que j'en ai pu lire — il me semble
que le rôle du parti communiste français en tant que
dirigeant et *organisateur* des F.T.P.F. n'est pas toujours correctement défini. Par exemple, sur le plan
départemental — et c'était la même chose à tous les
échelons — en tant que responsable du parti je
réunissais régulièrement le triangle de direction des
F.T.P.F. (Commissaire aux effectifs, militaire et
technique) pour examiner tous les problèmes de
direction, d'organisation et d'opérations. Je sais bien
qu'il y a eu ici et là quelques chef F.T.P.F. assez
indépendants, mais ils ne furent que l'exception.
Dans l'immense majorité des cas, ils furent toujours

---

1. Francs-tireurs et partisans français.

désignés par le parti et responsables devant le parti, ce qui n'enlève rien au fait que beaucoup d'entre eux jouèrent un rôle personnel très important et furent de « grands capitaines ».

Après deux années — ou presque — passées en Corrèze et dans le Lot, je fus appelé à l'inter-région des Alpes qui comprenait les départements de l'Isère, de la Savoie, de la Haute-Savoie, des Basses-Alpes et de la Drôme. Mon travail en tant qu'« Inter-Polo » consistait à diriger et à coordonner l'ensemble des activités pour ces cinq départements.

J'étais dans la région de Grenoble au moment de la tragédie du Vercors. On a beaucoup écrit sur cette tragédie et l'objet de mon ouvrage n'est pas d'en faire l'historique. Je voudrais pourtant apporter trois précisions.

1. — Les forces qui étaient massées dans le Vercors n'appartenaient pas aux F.T.P.F., on le sait. Si je le rappelle, c'est pour souligner du même coup que la règle de la guérilla c'est d'attaquer, de se dérober ensuite pour éviter les affrontements et désorienter l'ennemi. Cette règle implique nécessairement la *dispersion* des formations.

C'était la règle des F.T.P.F. Il est peut-être arrivé, par le fait d'erreurs individuelles, qu'elle ne soit pas scrupuleusement respectée, mais jamais à pareille échelle.

Par quelle aberration a-t-on pu masser dans le Vercors des formations aussi importantes ? Qui en porte la responsabilité ?

2. — Il est bien connu que les F.T.P.F. n'ont reçu de ravitaillement en armes et en munitions qu'avec beaucoup de parcimonie. Mais pour ce qui est du

Vercors, l'histoire ne pourra pas ne pas retenir que
l'aide apportée par Alger pour fournir le matériel
militaire indispensable fut dramatiquement insuffi-
sante. C'est un point d'histoire qu'il faudra bien un
jour tirer au clair.

Il me souvient de ce jour de juillet où l'on vit
arriver les premières vagues d'avions... Un bref
instant nous crûmes qu'enfin c'était l'aide tant atten-
due d'Alger. Las, c'étaient les bombardiers allemands... la catastrophe !

3. — Dès que nous eûmes conscience de cette
réalité, tout fut mis en œuvre par les F.T.P.F. pour
multiplier les opérations de harcèlement tout autour
du Vercors. Nos moyens étaient dérisoires ; notre
rôle pourtant fut loin d'être négligeable ; mais personne n'en a jamais parlé.

Ces trois précisions ne sont qu'un témoignage ;
celui d'un homme qui était en même temps dirigeant
de la Résistance, et qui ayant vécu chaque instant
de cette page d'histoire est d'autant plus sensible
aux interprétations tendancieuses qui en sont parfois
données.

C'est ensuite la Libération. De durs combats dans
toute la région et enfin les retrouvailles. A Lyon
d'abord, avec la direction de la zone Sud : Léon
Mauvais, Raymond Guyot... Un peu plus tard avec
ma famille... qui ne m'attendait plus. Il est difficile,
en effet, quand on est « illégal » de donner de ses
nouvelles. Les circuits sont compliqués et longs. Des
camarades interrogés par ma femme après la libération de Limoges avaient répondu : « Fernand ? non,
pas de nouvelles, on a dit qu'il avait été tué dans
le Vercors, mais nous n'avons pas eu de confir-
mation... »

Retrouver les siens dans ces conditions, ce sont des minutes inoubliables. Non, je n'étais pas mort, mais comme tant d'autres, comme tous ceux qui étaient dans la Résistance, une fois, trois fois, dix fois, la mort était passée tout près...

Malheureusement, il y a tous ceux, mes camarades, qui n'ont pas eu la même chance : Benoît, Félix, Marcel, Jean, Albert, André... C'étaient leurs noms de guerre ; de simples prénoms dont je garde précieusement le souvenir. Comme nous tous, dix fois ils ont échappé aux mailles du filet de la milice ou de la Gestapo, et puis un jour...

Le temps a passé. Il ne reste plus qu'une tombe quelque part avec cette inscription « mort pour la France — fusillé par la Gestapo ». Oui, mais comment sont-ils morts ? Benoît arrêté par la milice, torturé à mort... C'est-à-dire les membres brisés, la tête fracassée... Il faudra bien que je rassemble tous ces souvenirs... Comme je voudrais rendre hommage un jour à toutes celles et à tous ceux sans lesquels aucune de nos activités n'aurait été possible ; je veux parler de ceux qui nous hébergeaient. Personne n'a retenu leur nom... Je ne les ai pas oubliés... et pas davantage celles et ceux que l'on appelait « les courriers » et qui étaient chargés de transporter les tracts, de porter nos messages. Filles et garçons admirables qui ont déployé des trésors d'imagination pour déjouer tous les traquenards de l'ennemi.

Je n'ai pas de vocation d'historien. Je ne me veux pas non plus, « ancien combattant », ressasser les dangers vécus, mais je ressens parfois un remords à ne pas rassembler mes souvenirs... pour tous ceux-là, pour les liens noués... et parce qu'il est injuste que l'on ignore ce que la Résistance leur doit.

Evoquer, par exemple, la première mission dont

je fus chargé en Haute-Vienne par le camarade Nédelec au nom de la direction nationale clandestine du parti et qui consistait à rencontrer Georges Guingouin, non pas pour lui dire que le parti l'avait rejeté, mais, au contraire, *pour lui proposer de retrouver toute sa place dans le parti*. Dans son récent ouvrage sur les maquis du Limousin, Georges Guingouin est singulièrement muet sur cette démarche. Pourquoi ? Il faut dire que les circonstances de cette rencontre furent assez particulières et ceci explique peut-être cela. Si cette précision sur les relations existaient, à l'époque, entre Guingouin et le parti est très importante, elle ne met nullement en cause le rôle considérable joué par Guingouin dans la Résistance limousine.

Evoquer l'épisode héroïque de l'attaque de la prison de Tulle : de nombreux camarades avaient été arrêtés et enfermés dans cette prison — notamment tout le triangle de direction des F.T.P.F. du département de la Corrèze. Avec un nouveau triangle reconstitué et qui comprenait comme Commissaire aux effectifs le camarade Odru — actuellement professeur dans les Alpes-Maritimes — il fut décidé d'attaquer la prison de Tulle pour libérer nos camarades.

La prison de Tulle n'est pas un petit château de cartes ; c'est une véritable forteresse. Il était hors de question bien sûr de la prendre d'assaut. Alors, par la ruse : une échelle immense, une corde ensuite... et le premier attaquant arrivé à un nœud de la corde et qui se laisse tomber... l'alerte donnée... les gardiens, malgré tout et en dépit de toute vraisemblance, maîtrisés... puis enfermés dans les cellules pour y remplacer nos camarades. Quelle audace, quel courage de la part de ces jeunes F.T.P.F. !

Il faut noter au sujet de cet épisode que tous les détenus de la Résistance furent libérés : les communistes, les F.T.P.F., mais aussi quelques résistans appartenant à l'A.S. (l'armée secrète). Or, le lendemain, ces derniers réintégraient volontairement la prison sous le prétexte, incroyable, qu'ils ne voulaient pas tenir leur libération... des communistes ! ! Incroyable, oui, mais vrai.

Evoquer encore comment un jour un commandant de compagnie vint me faire part de la découverte qu'il avait faite, dans la région d'Argentat, à Saint-Chamant exactement, d'un « particulier » très suspect qu'il convenait de « neutraliser » ! Par mesure de sécurité, je demandai de surseoir à cette « neutralisation ». Je fis procéder à une enquête pour apprendre que le particulier en question n'était autre qu'André Malraux.

Et voilà comment André Malraux, qui ne s'est jamais douté de cet incident de parcours, ne fut pas « neutralisé ».

Evoquer des épisodes ; il y en a des dizaines qui ont marqué cette période exaltante, de la simple anecdote à la trahison, du courage héroïque à la peur panique, de la souricière déjouée au danger de la mort, là, si proche — qu'il m'arrive de trembler rétrospectivement à certains souvenirs... — oui, il faudra bien que je rassemble ces souvenirs... pour mes petits-enfants.

Pour l'instant, revenons au chemin qui conduit à la mairie de Choisy-le-Roi.

Après la Libération, je vais faire un premier séjour à Paris. J'avais rencontré à Lyon Georges Sadoul qui transportait *Les Etoiles* dans une énorme serviette. *Les Etoiles*, c'était un journal clandestin rédigé

entièrement, ou tout au moins en grande partie,
par les Castex ; c'est-à-dire par Elsa Triolet et
Aragon quand ils étaient dans la Drôme. Et c'est ainsi
j'imagine que je me retrouvai avec Maucherat au
secrétariat de l'Union nationale des intellectuels
(l'U.N.I.) ; organisation issue de la Résistance et qui
rassemblait les intellectuels qui y avaient participé :
Aragon, Joliot-Curie, Paul Eluard, Langevin, Vercors, Duhamel, François Mauriac, Saint-Saëns, Guil-
levic, Marcenac [1]... Moussinac.

Je travaillai là, rue de Sèze, une année ou deux
et ce fut pour moi une période particulièrement
enrichissante.

Rappelé à Limoges pour diriger la Fédération de
la Haute-Vienne du parti communiste français,
j'allais vivre les activités du militant communiste
dans ce département que je connaissais bien.

Il s'était créé une équipe tout à fait remarquable
qui réunissait les vieux militants pleins d'expérience
et des jeunes dont l'enthousiasme réchauffait le cœur.
Parmi les anciens : la belle figure du vieux docteur
Jules Fraisseix, maire d'Eymoutiers ; Texier, maire
d'Ambazac ; Pascaud, maire de Saint-Junier ;
Alphonse Denis, un peu plus jeune, modèle de
dévouement, de simplicité et boute-en-train exceptionnel ; Ferdinand Guiraud, secrétaire de l'Union
départementale des syndicats C.G.T., qui était un
homme de masse (comme on dit dans notre jargon)
remarquable ; Léon Pagnoux, aujourd'hui maire de
Rochechouart ; Maurice Audrerie ; Gabriel Citerne ;

1. Jean Marcenac qui publia aussi des *Etoiles* dans le Lot
après avoir été O.P. dans ce département, et qui, à ce titre,
fit un travail considérable. Admirable Walter !...

Jean Granger... Parmi les jeunes : Marcel Rigout, aujourd'hui député ; Fernand Clavaud, membre comme Rigout du Comité central ; Marcel Beaudeneau ; Pierre Ethève ; Roland Mazouin, maire de Saint-Junien aujourd'hui ; Renée Belair ; René Raffier ; Yvonne Marcailloux ; Adrien Duqueyroix et bien d'autres.

Chaintron était alors préfet de la Haute-Vienne et Guingouin maire de Limoges.

Je n'oublierai jamais cette atmosphère d'enthousiasme, de fraternité, d'amitié, de joie qui nous unissait. Ah ! ces campagnes électorales où nous partions le soir, du siège de la fédération, pour assurer les réunions publiques. Et les grèves de 1947... Les cheminots paralysant les grosses locomotives en jetant sur le ballast les brasiers des foyers... Les paysans et ces combats homériques à grands renforts de rutabagas... Les policiers enfermés dans le commissariat et demandant grâce dans la fumée des bombes lacrymogènes qui étaient retournées à l'envoyeur... Cette manifestation monstre devant la gare de Limoges où nous échappions de justesse à une provocation qui aurait pu transformer la manifestation en catastrophe (alors que nous étions face à la police et à l'armée, fusils mitrailleurs braqués sur nous, un individu s'avança au premier de nos rangs, un pistolet à la main ; il fut désarmé à temps... c'était un provocateur qui s'était infiltré parmi nous).

Oui, ce furent en 1947 de grandes luttes, de très grandes luttes ouvrières, paysannes et qui allèrent loin : nous étions à Limoges les maîtres de la situation ; nous avions le pouvoir en main.

Las, le temps n'était pas venu d'instaurer le socialisme, ni même encore un régime démocratique.

En 1948, il fallut quitter cette vie exaltante pour de nouvelles responsabilités... non moins exaltantes.

Après avoir été élu membre du Comité central en 1947, je fus appelé, en juin 1948, à Paris pour devenir le secrétaire particulier de Maurice Thorez, à Choisy-le-Roi.

CHAPITRE III

A Choisy, avec Maurice Thorez

C'EST en octobre 1948 que j'ai été appelé à Choisy-le-Roi pour remplir les fonctions de secrétaire particulier de Maurice Thorez. Le secrétaire général du P.C.F. habitait alors avenue de Versailles (aujourd'hui avenue du Maréchal-de-Lattre-de-Tassigny) une grande demeure qui devait, par la suite, héberger la délégation de la République du Vietnam du Nord pendant toute la durée de la Conférence de Paris pour la paix au Vietnam.

J'habitais donc Choisy-le-Roi. Le matin, je me rendais chez Maurice Thorez pour, ensuite, travailler au siège du Comité central au 44, rue Le Pelletier à Paris — le 44, comme nous l'appelions — où j'avais un bureau tout proche de celui du secrétaire général du parti communiste français.

J'avais alors 31 ans... avec toutes les qualités (!) et tous les défauts du jeune militant de cette époque : un enthousiasme et une confiance à toute épreuve, du dévouement à revendre. J'étais aussi un « bon stalinien ».

Tous ceux qui n'ont pas connu et vécu cette époque vont sans doute sursauter : comment a-t-on

pu être stalinien ? Je l'ai été, oui. Je ne m'en vante
pas. C'était ainsi. Il faut essayer de comprendre.

J'ai eu l'occasion de voir Staline deux fois : la première au Grand Théâtre de Moscou (le Bolchoï)
pour une commémoration de la mort de Lénine (j'ai
gardé précieusement le carton d'invitation libellé à
mon nom) ; la seconde à Soukoumy, dans le Caucase,
où Maurice Thorez était en convalescence et où
Staline était venu lui rendre visite.

Ces deux rencontres ne firent que renforcer l'admiration que j'avais pour Staline. Il m'était apparu
comme un homme simple, comme un homme très
bon, plein de sollicitude pour les autres. Je le vois
encore s'inquiéter de la santé de Maurice Thorez
et vanter les vertus thérapeutiques exceptionnelles
du vin de Géorgie !... comme un homme aimable,
souriant et discret. J'avais bien devant moi l'auteur
de : *L'Homme, le capital le plus précieux.*

Et quand il mourut, ce fut pour moi et pour ma
famille une grande peine, vraie, sincère, comme
l'éprouvèrent des millions de braves gens à travers
le monde.

Il ne faut pas sourire mais essayer de comprendre.
Pendant des années, Staline avait illuminé nos combats ; il personnifiait la construction « victorieuse »
du socialisme ; il incarna Stalingrad, la résistance
héroïque de l'Union soviétique et sa victoire sur
l'hitlérisme. Nous l'admirions et nous l'aimions.

Mais quand il nous fut révélé que cet homme que
nous avions tant aimé avait décidé froidement l'exter-
mination de milliers de ses compagnons de route,
qu'il avait préparé des procès machiavéliques, alors,
ce fut un déchirement à la mesure de l'attachement
viscéral que nous avions eu pour lui.

Je sens bien que là il conviendrait de s'expliquer

plus longuement. Comment avons-nous pu approuver
les verdicts de ces procès retentissants ? Je m'interroge
encore et j'avoue ne pas avoir trouvé d'explication
vraiment satisfaisante. Les aveux des accusés, leurs
crimes « prouvés », notre solidarité avec le parti
communiste de l'Union soviétique...

C'est un vaste problème. Comment un homme,
Staline, a-t-il pu concentrer entre ses mains des pouvoirs illimités ? Comment la démocratie dans le parti
a-t-elle pu être inexistante ? Comment Béria ? Comment l'assassinat de Kirov ? de tant d'autres ?

Et malgré tout, l'anéantissement de l'hitlérisme,
la victoire du socialisme ?

Oui, c'est un vaste problème qui dépasse largement les limites de ce petit livre, mais je tiens à
souligner qu'il ne faut jamais perdre de vue le
contexte historique : l'encerclement de l'Union soviétique, la montée du fascisme.... Dans ce contexte, la
solidarité des communistes du monde entier avec
l'Union soviétique était une nécessité politique
primordiale.

Mais revenons en 1948. J'arrivais à Choisy-le-Roi.
J'étais heureux et fier de la confiance qui m'était
faite ; fier d'être placé auprès de celui qui dirigeait
le parti et d'être ainsi au cœur des grands problèmes
politiques de notre temps.

Mes journées étaient bien remplies. Tous les
matins — sauf le dimanche — à 5 heures, je préparais
chez moi la revue de la presse : lecture de tous les
journaux, découpage, collage des articles qui me
paraissaient essentiels. Et, à 8 heures, j'étais chez
Maurice Thorez. Il était levé depuis longtemps.

J'allais ensuite au « 44 » où je dépouillais le courrier. Maurice Thorez venait rarement à son bureau

le matin ; il arrivait l'après-midi ; je lui remettais
le courrier ; il conservait les lettres les plus importantes auxquelles il répondait personnellement et le
plus souvent de sa main.

L'organisation et la préparation de ses entretiens
avec des camarades ou des personnalités diverses,
de ses réunions, des meetings publics m'occupaient
le reste du temps... jusqu'au soir où je me rendais
à *l'Humanité* pour faire part au directeur des observations de Maurice Thorez sur le journal de la veille
et de ses suggestions pour le journal du lendemain.

La plupart des matinées étaient consacrées à l'étude
des dossiers, mais aussi à la lecture. Il connaissait
parfaitement les grands classiques du marxisme :
Marx, Engels, Lénine, Staline ; les œuvres de tous
les précurseurs du marxisme, des philosophes du
XVIIIe siècle, mais aussi de tous les écrivains, les
anciens, les modernes et les contemporains.

Très souvent, lorsqu'il me demandait de préparer
une documentation, il précisait : « Tu trouveras cette
idée développée dans le tome X des œuvres de Lénine,
dans le chapitre Y... je crois bien. » Il croyait bien ;
sa mémoire le trahissait rarement.

Il rappelait volontiers qu'il connaissait personnellement plus de 3 000 militants ; qu'il pouvait citer
leurs noms... Il aimait me taquiner — avec un peu
de coquetterie — : « Voyons si ta mémoire est fidèle.
Peux-tu me dire où tu étais et ce que tu as fait le
1er janvier depuis 20 ans ? » Et il me rappelait avec
une précision étonnante où il était et ce qu'il avait
fait le 1er janvier de 1929 à 1949.

Essayez donc...

Ses entretiens avec Picasso, Aragon, Paul Eluard,
Joliot-Curie relevaient souvent de la joute oratoire ;

les interlocuteurs n'avaient pas souvent le dernier
mot. Non qu'il usât d'arguments d'autorité, mais
simplement parce qu'il connaissait bien les questions
dont il parlait. Et il les connaissait bien car il les
préparait longuement, minutieusement.

Lorsqu'il devait prononcer un discours important,
il y travaillait d'arrache-pied. Il commençait toujours
par élaborer le plan ; sur la base de ce plan, il me
demandait de réunir la documentation ; une documentation qui était considérable, statistiques, décla-
rations et articles d'hommes politiques sur le sujet,
consultations des différents spécialistes... rien n'était
laissé au hasard ou à l'improvisation.

Il rédigeait ensuite de son écriture fine, avec un
porte-plume et jamais un stylo, raturant un mot,
une phrase pour trouver la juste expression. Le
manuscrit dactylographié, il reprenait le texte, corri-
geant à nouveau... Il n'était pas rare qu'un texte fut
ainsi dactylographié trois et quatre fois... Pas rare
non plus que, prononçant le discours, il prit un
crayon pour ajouter une virgule là où elle avait été
oubliée, pour corriger une faute de frappe qui avait
échappé à nos soins pourtant vigilants.

Le goût du travail bien fait était un des traits les
plus marquants de son caractère. Il ne souffrait pas
la médiocrité, le laisser-aller. Tout était chez lui
méticuleusement organisé. J'ai gardé quelques notes
écrites de sa main qui témoignent de ce souci de
tout vérifier jusque dans le moindre détail.

On trouvera ci-contre la reproduction de deux
de ces notes : l'une relative à l'organisation d'un programme de visites à différentes régions de France,
l'autre concernant l'organisation de signatures dédi-
caces de son livre *Fils du Peuple*.

Un plan de visites aux régions

Pour moi,
en tenant compte des meetings prévus

1) le vendredi 29 Avril — *Peut-être* Toulouse (ou Carcassonne) le Midi
   les samedi 30 et 1ᵉ meeting

2) la *Bretagne* , à Rennes le vendredi 13 Mai

3) l'*Est* , Alsace - et m. et Meuse à *Nancy* le samedi 21 Mai

   (et en ce cas, je pourrais aller à Longwy
                                        le 22)

4) Voir pour Vesoul (le 11 Juin) Hᵗᵉ Saône, Doubs, Jura, Côte d'Or,
   je voudrais à (Dijon)   Hᵗᵉ Marne, Vosges, Aube, Yonne

5) le 24 Juin vendredi B.ᵈᵉ à Limoges
   le samedi 25 Juin , groupe de Fédérations
                                        à Périgueux
   le 26 · meeting

Un Vendredi 5 ou Samedi 6 Mai
            je pourrai éventuellement
       prendre le groupe du *Nord* (à St Quentin)
                      ou de *Marseille*

                            La Provence
                            + le Sud

Clermont, on pourrait fixer
de <u>16 à 18 h</u>

Je peux partir de <u>St Étienne</u>
à <u>13.45</u> et arriver
pour <u>16 h</u>

Dans ces conditions, on pourrait
demander qu'à St Étienne
la disjunction se fasse
de <u>9 h 1/2 à 11 h 1/2</u>

déjeuner à <u>12 h.</u>
à 13.45
(et je partirai quel que soit
le "marché" du repas.

Je me demande si c'est bien d'avoir
retenu dans une même tournée.
On aurait pu ne retenir qu'Alès et Nîmes le dimanche matin (à cause des mineurs)

J'étais vraiment à l'école du travail, à l'école de la précision, à l'école de la connaissance des matières les plus variées, à l'école de la connaissance des hommes.

A ce sujet, je voudrais rapporter une anecdote. J'allais chaque soir, comme je l'ai déjà dit, à *l'Humanité* transmettre les réflexions de Maurice Thorez. Un soir, il m'avait demandé d'insister sur une idée qui lui semblait particulièrement importante. Or, justement, André Marty avait rédigé un article sur le sujet... Malheureusement, l'idée à laquelle tenait Maurice Thorez n'était pas exprimée dans cet article. Etienne Fajon, directeur de *l'Humanité,* essaya de joindre Marty par téléphone, impossible. Que faire ? Nous ajoutâmes deux phrases à l'article...

Le lendemain matin, lorsque j'arrivai au « 44 », André Marty m'avait déjà fait demander trois fois... Je me rendis à son bureau... Avant même que j'aie pu lui donner la moindre explication, je fus submergé par un torrent d'imprécations... une agression verbale d'une violence invraisemblable. Si violente même, qu'oubliant tout le respect que je devais à un dirigeant du parti, je lui lançai : « Tu m'emmerdes ; tu me rappelleras quand tu seras décidé à me parler sur un autre ton ! » Et je claquais la porte.

Affolé de cette audace, je racontai l'incident à Maurice Thorez, qui me répondit en souriant : « T'en fais pas ! On verra bien. »

Le lendemain, à la réunion du secrétariat à laquelle j'assistais comme chaque semaine, André Marty arrive :

« Bonjour !
— Salut !
— Ça va ?

— Ça va !
— Rien de spécial ?
— Rien de spécial ! »

L'incident était clos.

Et voilà comment les choses se passaient souvent pour des foudres de guerre comme André Marty. Vis-à-vis d'un « subalterne », la brutalité de langage, mais devant « le chef », on file doux.

Je n'écris pas tout cela pour accabler la mémoire d'André Marty — ses défauts, les erreurs qu'il a pu commettre n'enlèvent rien aux mérites qui ont été les siens — mais simplement pour illustrer le comportement des hommes. Combien en ai-je vu agir de la sorte ! Combien en ai-je vu trembler devant Maurice Thorez ! Combien en ai-je vu venir me faire la cour : « Que pense Maurice ?... tu devrais dire à Maurice »...

Il n'y a sans doute rien de plus difficile que de dire la vérité. Et pourtant, la vérité est révolutionnaire... Oui, c'est difficile, très difficile. Je parle d'expérience. Et pourtant, je crois qu'il n'y a rien de plus important pour un dirigeant, pour un chef, quel qu'il soit, où qu'il soit, que d'entendre ce que pensent les autres, même, et surtout, s'il s'agit de critiques.

Fermons cette parenthèse et revenons à Maurice Thorez : savait-il, lui, entendre la critique ? Il savait, incontestablement, en tenir compte...

On le nommait « le premier stalinien de France ». Il en était très honoré et, avant tout, parce que cela voulait dire un grand attachement, un attachement nécessaire, à l'Union soviétique. Jeune militant, il avait pris résolument parti pour le pouvoir des soviets. Il s'était prononcé pour l'adhésion de l'Internationale communiste et il est toujours resté fidèle à ce choix.

« Où en serions-nous aujourd'hui, a-t-il écrit fort justement, si Lénine n'avait pas, en 1917, brisé le front de l'impérialisme et édifié la République des Soviets ? C'est la révolution russe qui a orienté l'histoire vers la société sans classe et le bonheur des hommes ; c'est elle qui a facilité à travers le monde les conquêtes de la démocratie. »

La mort de Staline devait le bouleverser profondément et, plus tard, le rapport Khrouchtchev constituer un véritable drame par la condamnation qu'il portait de Staline. Tout cela est bien connu et n'a rien à voir avec les accusations stupides selon lesquelles Maurice Thorez était à « la solde de Moscou ». Il a toujours été, au contraire, soucieux de préserver l'indépendance et l'originalité du parti communiste français, soucieux des intérêts de la France. Toute son œuvre, tout le combat qu'il a mené attestent qu'il a toujours respecté le principe fondamental de l'interdépendance intime du patriotisme populaire et de la solidarité prolétarienne internationale.

Le qualificatif de stalinien impliquait une pratique politique qui correspondait à une période historique donnée. Il comportait notre admiration pour Staline, notre attachement à l'Union soviétique, mais aussi des défauts comme le dogmatisme et le culte de la personnalité.

Maurice Thorez a-t-il échappé à ce double écueil ? Pas plus, pourquoi ne pas le dire, que les autres militants de cette époque. Nous étions tous peu ou prou dogmatiques, sans trop nous en rendre compte.

J'ai vécu auprès de Maurice Thorez cette rude période. Un peu avant, mais surtout après le grave accident de santé dont il fut la victime, et je veux dire là, pour être resté près de lui durant de longues semaines, le courage exceptionnel de l'homme dans sa lutte opiniâtre, pour faire reculer le mal. Pas un moment de découragement : un combat de tous les instants pour la rééducation du bras, de la jambe et, toujours, une lucidité parfaite. Le combat pour la vie !

Durant cette période, j'étais appelé à assurer la liaison entre Maurice Thorez qui était à Choisy et le secrétariat et le bureau politique, aux réunions desquels je participais. Plus tard, j'allais quelquefois en Union soviétique dans le même but, bien que Jeannette Vermeersch ait rempli cette fonction de manière beaucoup plus suivie.

J'étais mêlé de très près, en tant qu'observateur, à toutes les discussions, tant au secrétariat qu'au bureau politique, qui devaient aboutir à de nombreuses sanctions. Des camarades furent exclus du parti ; d'autres écartés de toute responsabilité. J'ajouterai seulement à ce propos que ces mesures correspondaient à un moment de l'histoire du parti communiste français et qu'il serait trop facile de s'ériger aujourd'hui en censeur.

Je voudrais dire enfin quelques mots à propos du culte de la personnalité. Maurice Thorez se défendait de favoriser cette pratique et, après le XXe Congrès, on a écrit que le parti communiste français n'était jamais tombé dans ce défaut. Le défaut a pourtant existé et je le dis avec d'autant plus de tranquillité d'esprit que je n'étais pas le dernier à en susciter les manifestations. Je me souviens, en particulier, du 50e anniversaire de Maurice Thorez, célébré à la Mutualité, au cours duquel je remplissais un peu les fonctions de chef du protocole pour ordonner les éloges, les cadeaux.

Si j'ajoute que tout cela semblait naturel, on sera
sceptique ; je dis pourtant la vérité. C'était devenu
un rite. On est pris dans l'ambiance, on s'installe
dans la coutume et on ne se rend plus compte.
Jusqu'au jour où l'on s'interroge, à la suite d'un
rien, d'un grain de sable. Pour moi, la prise de
conscience vint de Paul Eluard. Un jour que je lui
reprochais de n'avoir pas envoyé son dernier recueil
de poèmes à Maurice Thorez, il me tourna le dos en
criant presque : « Tu m'emmerdes !... »

J'en restais pantois ! Je ressassais cette réaction
de Paul Eluard et il me fallut longtemps, pour
comprendre que sans m'assimiler à un courtisan, à
un valet ou à un robot, il y avait dans mon comportement matière à réflexion...

J'étais à l'école, à la rude école du parti, à la rude
école de la vie. Je n'oublierai jamais tous ceux, et en
particulier Maurice Thorez — mon maître pendant
plusieurs années —, qui ont donné un sens à ma vie ;
qui m'ont permis de vivre en acteur, même modeste,
les grands moments de l'histoire du parti, de l'histoire
tout court. Et même si j'ai traîné avec moi des scories
qui me paraissent aujourd'hui détestables, et même si
certains souvenirs me laissent un goût de cendres
dans la bouche...

DEUXIEME PARTIE

UN MAIRE COMMUNISTE
EST-IL UN MAIRE
COMME LES AUTRES?

CHAPITRE IV

L'apprentissage du métier de maire

Habitant Choisy depuis 1948, élu conseiller général de la Seine en 1953, je n'étais pourtant guère sorti du cadre de la famille communiste. Mon travail, d'abord auprès de Maurice Thorez, ensuite au siège du Comité central, ne me laissait guère de temps pour participer aux activités de la vie locale et pas un instant je n'avais pensé devenir un jour le maire de cette ville.

Après la Libération, aux élections municipales de 1945, une liste d'union démocratique conduite par Alfred Lebidon l'avait emporté. Mais, en 1947, la liste communiste fut battue par un socialiste, Marcel David, qui resta maire de Choisy jusqu'à sa mort, en 1955. Dès lors, une coalition assez hétérogène, présidée par M. Sergent, dirigeait les affaires de la cité. M. Sergent était socialiste, ses adjoints étaient U.N.R. et « centristes ».

Telle était la situation au moment des élections municipales en 1959.

Maurice Thorez, le premier, me demanda ce que je pensais de ma candidature éventuelle. J'objectais que je ne l'avais jamais envisagée, que je ne connaissais pas les problèmes de l'administration communale et guère davantage les problèmes particuliers à la ville de Choisy, que je n'étais pas un enfant de Choisy et que cela ne manquerait pas de soulever quelques remous. Bref, très honnêtement, j'exposais mes scrupules... pour conclure néanmoins, en militant discipliné, que si le parti estimait que ma candidature pouvait aider à faire triompher notre liste, je ne me déroberais pas. C'est ce que l'on dit en pareille circonstance sans trop se rendre compte que la formule est empreinte de l'excellente opinion que l'on a de soi-même !

Ma candidature fut donc soumise au parti. A ma cellule d'abord, puis à la section. C'est ainsi que les choses se passent dans le parti. On ne décide pas personnellement d'être candidat : c'est le parti qui décide et c'est très bien ainsi.

Il n'y eut pas de grandes discussions ; ma cellule et la section furent unanimes et la fédération entérina.

J'avais fait une seule réserve : qu'Alfred Lebidon, qui avait été maire de 1945 à 1947, restât tête de liste. On m'objecta qu'il était âgé ; j'acceptais donc le compromis d'une double tête de liste : Alfred Lebidon et moi-même.

Cette précision peut sembler un détail ; je la crois au contraire très importante. Alfred Lebidon était un vieux militant en tous points exemplaire. Or, je l'avais déjà remplacé comme conseiller général dans des conditions un peu cavalières : ... il avait appris par le journal — comme moi-même d'ailleurs — que j'étais candidat à sa place. Je tenais donc absolument à ce qu'il n'y ait cette fois-ci aucun malentendu. Il n'y en eut pas.

L'accord entre nous deux fut parfait et, dès lors, c'est une solide amitié qui devait nous unir.

Restait à établir la liste. C'est toujours une entreprise délicate. Chaque cellule propose des candidats. Le Comité de section examine ces candidatures et décide. Sur quels critères ? Il y avait d'abord à régler la question de la composition politique de la liste. Liste communiste homogène ou liste d'union. L'accord se fit rapidement sur une liste d'union. C'est ainsi que le docteur Gulmann, vieux républicain choisyen, fut associé à notre équipe.

Ensuite, il fallut régler les questions de dosage politique. Combien de communistes et de non-communistes ? Les socialistes étant alliés aux formations centristes et à l'U.N.R., il n'était pas question d'une liste commune avec eux. Nous fîmes donc appel à des hommes connus pour leurs opinions de gauche.

Restait à régler, pour les candidats communistes, la répartition géographique des candidatures sur le territoire de la commune ; une représentation harmonieuse des différentes professions ; la présence de femmes sur la liste ; de jeunes...

Tout cela ne souleva pas de très grandes difficultés.

La liste ainsi formée, il fallut élaborer le programme. Là, les « vieux » choisyens furent d'un concours précieux : Lebidon, Gulmann, Grillot, Luc, Malidor, Johana Marchand, Simonnet, Falcon, Lemaire...

La campagne électorale s'engagea et ce fut le résultat : par 7 446 voix (tête de liste) contre 7 316 (tête de liste) à nos adversaires, nous l'emportions... de justesse[1]. Quelques jours plus tard, j'étais élu maire

---

1. Aux dernières élections municipales en 1971 notre liste obtenait 9 568 voix, la liste adverse 5 439 voix... ce résultat est éloquent !

de Choisy-le-Roi : l'apprentissage allait commencer.

Un maire qu'est-ce que c'est ? Lorsque j'étais enfant, le maire de mon village était un gros bonhomme — et pendant longtemps, très longtemps, je n'ai pas pu imaginer qu'un maire pouvait être autrement que très gros. C'était pour moi un personnage assez mystérieux mais important, que je saluais toujours avec respect; avec une pointe aussi, toujours, d'inquiétude mal définie — comme on a peur un peu des gendarmes. Il parlait fort, riait plus fort encore ; marchait d'un pas assuré ; c'était quelqu'un ! Il présidait la distribution des prix à l'école ; présidait le banquet des anciens combattants ; présidait le comice agricole aux côtés du député, présidait, présidait... et chaque fois nous entendions le même discours.

« Vous me connaissez, je ne suis pas un orateur, alors à la guerre comme à la guerre. Je ne vous dirai qu'un mot... » Mais ce mot n'en finissait pas et chaque fois tout le monde s'interrogeait : atterrira, n'atterrira pas ! Il atterrissait enfin sous les bravos... très fier de lui. « Merci mes amis, merci »... Tout commençait toujours pas la tournée des poignées de main et tout, toujours, se terminait par cette même tournée. Ah ! la poignée de main, comme il la distribuait généreusement... demandant toujours des nouvelles de la grand-mère, du dernier-né... et ayant toujours dans sa poche deux mouchoirs : un pour lui, naturellement, et l'autre, pour moucher les enfants à l'occasion... (ce détail est strictement exact).

Enfin, le maire c'était le personnage que l'on allait consulter chaque fois qu'une difficulté se présentait... « Il faudrait en parler au maire... ».

Voilà ; pour l'enfant que j'étais, le maire, c'était tout cela...

J'ai voulu savoir quelle était l'opinion des enfants d'aujourd'hui, des enfants de Choisy. Je les ai interrogés :

« Le maire ? euh..., c'est vous ;

— Bon, mais à quoi ça sert un maire ?

— C'est quand on se marie ; il faut aller à la mairie. Le maire, il a une écharpe et il faut que les mariés disent oui à Monsieur le Maire ;

— C'est lui qui fait nettoyer la ville, il a des cantonniers ; il fait ramasser les ordures ;

— Il fait goudronner les rues ;

— Les colonies de vacances, c'est le maire qui les organise, même pour les vieux. Ma grand-mère est allée en Corse en avion ; elle m'a dit que c'était le maire...

— C'est lui qui s'occupe des logements ;

— Des logements ?

— Oui, on habitait dans un grenier, ma mère est allée trouver le maire et on a eu un logement...

— Eh bien nous, on habitait dans une cabane au fond du jardin ; mon père est allé voir le maire dix fois et on est toujours dans notre cabane ;

— On m'a dit que c'est le maire qui avait fait construire mon école, la piscine, la bibliothèque pour les enfants, les gymnases. C'est vrai ça ?

— Quand on n'a pas de travail, on va trouver le maire ;

— Ma mère elle pouvait pas payer le loyer ; la police devait nous expulser de notre logement ; elle est allée voir le maire et on est resté dans notre logement ;

— Eh bien, nous, on a été expulsés par le maire. On habitait à côté de l'église ; le maire a fait démolir toutes les maisons... et à la place il a fait construire de grandes tours ; c'est pas beau ;

— Si, c'est beau ; moi j'y habite, on voit la Seine, Créteil et même Paris ;

— Et les impôts, vous savez ce que c'est ?

— Moi je sais pas ;

— Moi non plus ;

— Moi je sais, mon père il dit qu'il paye trop et que c'est la faute du maire ;

— C'est même pas vrai, ma mère m'a dit que c'était la faute du gouvernement ;

— ?

— Oui, parfaitement du gouvernement ;

— Elle n'y comprend rien ta mère. Moi je sais ; mon père travaille au ministère (??) et il m'a expliqué. Il y a les impôts du gouvernement et il y a les impôts de la commune... Alors tu vois ?

— Non, je vois rien... c'est trop compliqué.

Comme la vérité sort toujours de la bouche des enfants, je crois que toutes ces reparties constituent une assez bonne définition du maire. Meilleure en tout cas que celles que donnent les dictionnaires pour nous apprendre que le maire est le premier magistrat d'une commune. Mais un magistrat, qu'est-ce que c'est ?

Retenons simplement que le maire est le représentant du pouvoir central dans une commune. A ce titre il est chargé, sous l'autorité de l'administration supérieure, de la publication et de l'exécution des lois et règlements. Mais il est aussi le chef de l'exécutif municipal, c'est-à-dire, responsable de l'exécution des décisions du Conseil municipal.

Mais, pratiquement, ce sont les enfants qui ont raison : le maire s'occupe un peu de tout dans une commune. Aux yeux de la population, il est responsable de tout ; de tout ce qui va bien, de tout, aussi, ce qui va moins bien ou qui va mal.

Ce n'est pas toujours vrai, ni pour le bien, ni pour le mal.

Pour le bien, par une démarche bien naturelle, le maire n'hésite guère à s'attribuer les mérites ; pour le mal, et par une démarche non moins naturelle, il rejette facilement les responsabilités sur la tutelle, sur le gouvernement...

La vérité passe par les limites du pouvoir des maires... nous y reviendrons.

CHAPITRE V

Un maire communiste
est-il un maire comme les autres ?

ON raconte beaucoup de choses sur les maires communistes et des choses parfaitement contradictoires.

D'une part, on rend volontiers hommage à l'efficacité des élus communistes. Les maires communistes ont la réputation d'être de bons administrateurs. Il me souvient à ce propos qu'au cours d'une discussion dans les couloirs de l'Assemblée nationale, M. Pompidou, alors Premier ministre, me disait : « C'est vrai monsieur Dupuy ! les maires communistes sont de bons maires dévoués, efficaces et intègres... »

De son côté, M. Malraux, un jour qu'il était venu « plancher » devant la commission des Affaires culturelles, et comme je lui reprochais — il était à l'époque ministre des Affaires culturelles — de ne guère aider les municipalités à développer les activités culturelles, me répliquait, dans son langage imagé devant plusieurs députés : « Monsieur Dupuy, je reconnais que les maire communistes font beaucoup de choses pour les activités culturelles... ce n'est pas comme ces autres-là qui ne font rien » (« ces autres-là » désignant, à l'évidence une partie des élus U.D.R.).

On me dira que les hommages rendus par Pompidou et par Malraux aux maires communistes ne prouvent rien. J'en conviens. D'ailleurs si on reconnaît assez généralement que les maires communistes sont de bons administrateurs, c'est souvent pour ajouter « dommage qu'ils soient communistes ! » et d'enchaîner sur la mainmise communiste sur la ville, sur les bastions ou les forteresses communistes, le carcan sur la ville. Et que sais-je encore.

Voyons tout cela d'un peu plus près.

Que les maires communistes soient de bons administrateurs, je crois que c'est vrai. Non pas qu'ils soient plus intelligents, plus dévoués que les autres, mais ils sont désignés et travaillent dans des conditions qui sont propres au parti communiste, conditions qui offrent des garanties indiscutables à une gestion intègre répondant aux aspirations de la population.

Les élus communistes sont choisis par le parti et ils travaillent en liaison permanente avec lui.

Tout d'abord, le choix est le fait de tout le parti dans une commune. Dans une ville comme Choisy où il y a près d'un millier de communistes organisés, il est bien évident que cette sélection constitue une garantie non négligeable.

Ensuite, « le contrôle » du parti. On écrit ou on dit souvent à ce sujet beaucoup d'inepties... « Notre maire, c'est un brave homme mais il est " prisonnier " du parti. » Non, il n'y a pas de prison dans le parti. Il y a simplement que le candidat du parti, quand il est élu maire, ne cesse pas d'être communiste. Il est toujours communiste et, à ce titre, il a les mêmes droits et les mêmes devoirs que n'importe quel communiste.

Cela veut dire quoi pour un maire communiste ? Que chacun de ses faits et gestes est contrôlé par le

parti ? Que chaque fois qu'il prend une décision,
il doit en rendre compte au parti ? Evidemment non.

Il y a d'abord un premier principe et qui est fondamental. Le maire, avant d'être élu, a été désigné par
le parti : il a donc la confiance du parti et le parti
lui fait confiance pour remplir son mandat.

Comment s'exerce donc ce fameux contrôle du
parti ? De la manière la plus simple. Le maire communiste, comme les autres communistes, participe aux
réunions de sa cellule, aux assemblées de la section,
aux réunions du Comité de section. Il est donc
confronté en permanence avec ses camarades, et avec
eux, et comme eux, il applique la politique du parti.

Ensuite, et deux ou trois fois par an, le maire
communiste expose devant la direction de la section
— la direction du parti à l'échelon local — les questions essentielles de l'administration municipale. Par
exemple, au moment de l'élaboration du budget, les
grandes lignes de ce budget sont discutées avec la
direction de la section. Je dis bien les grandes lignes ;
l'élaboration du budget proprement dit incombant
au maire, aux adjoints et aux conseillers municipaux.

Enfin, il existe sur le plan départemental une
commission du travail municipal. Cette commission
est chargée de coordonner l'activité de l'ensemble des
municipalités communistes du département et de leur
donner une impulsion.

Tels sont les principes qui régissent le « contrôle »
du parti sur ses élus. Mais entre les principes et la
réalité, il y a quelquefois des nuances ; soit que la
direction de la section ou la commission départementale se désintéresse totalement de l'activité des élus,
soit, au contraire, que l'une ou l'autre témoigne d'un
intérêt « excessif » pour les problèmes municipaux :
multipliant à tout propos et souvent hors de propos

les conseils, sinon les consignes. Dans ce cas, il peut y avoir conflit, mais c'est vraiment exceptionnel. Les temps sont révolus en ce domaine comme dans les autres, où le parti ne laissait guère d'initiative à ses élus. Il leur fait confiance.

Comme tout cela peut sembler procéder d'affirmations gratuites, je voudrais l'illustrer par un exemple. Depuis quelques années, le parti a donné comme directive à tous ses élus : pas d'augmentation des impôts locaux.

Quand on sait les difficultés matérielles que connaissent dans nos communes les foyers ouvriers, il est bien évident que ce mot d'ordre correspond à une nécessité et qu'il est parfaitement conforme à notre orientation générale de gestion en faveur d'abord des familles les plus déshéritées. Mais il y a les réalités budgétaires des communes. Alors, dans chaque cas, on essaie de concilier cette directive générale avec les réalités, c'est-à-dire que l'on augmente le moins possible les impôts communaux.

Je reviendrai sur ces questions de la fiscalité des collectivités locales. Je voulais seulement, par cet exemple, montrer comment la décision finale reste toujours du ressort des élus locaux eux-mêmes.

Pour en terminer avec le contrôle du parti sur ses élus, il est indispensable de préciser que l'élu communiste est rémunéré comme un permanent du parti ; c'est un point important. Prenons mon cas : je suis député et maire. L'indemnité officielle versée à un député est actuellement, en gros, de 11 000 francs nets par mois, à quoi s'ajoute une somme de 3 700 francs pour frais de secrétariat ; soit au total 14 700 francs. Cette somme est intégralement et directement versée à la trésorerie centrale du parti. Le député commu-

niste reçoit son salaire du parti ; ce salaire s'élève à
2 830 francs.

Un député communiste gagne donc 2 830 francs
par mois.

S'il est en outre maire, voire conseiller général, il
ne perçoit pas un seul centime supplémentaire ; en
tant que maire de Choisy, je ne perçois aucune
rétribution.

Que devient donc l'indemnité officielle destinée
au maire ? A Choisy, pour une ville de 40 000 habitants, cette indemnité s'élève à 4 266,72 francs.
Comme je suis député, cette indemnité est réduite
de moitié ; l'autre moitié étant reportée sur celle du
premier adjoint. Les rémunérations s'établissent donc
ainsi :

— pour le maire .... 2 118,36 francs
— pour le 1er adjoint .... 3 813,05 francs
— pour le 2e adjoint .... 1 694,69 francs
— pour le 3e adjoint .... 1 694,69 francs
— pour le 4e adjoint .... 1 694,69 francs

soit au total .... 11 015,48 francs

Cette somme est versée à la caisse commune des
adjoints et elle sert à rétribuer les adjoints permanents sur la base du salaire fixé par la fédération du
parti, qui s'élève actuellement à 2 320 francs par
mois.

En résumé, le député-maire perçoit 2 830 francs et
chaque adjoint permanent 2 320 francs.

Comme on le voit, ces salaires ne sont pas très
élevés ; ils correspondent en gros à ce que gagne un
ouvrier qualifié. C'est, je crois, très important car il
me paraît impossible qu'un élu puisse comprendre

les difficultés que rencontrent les travailleurs, les personnes âgées, les femmes seules, s'il n'est pas lui-même confronté avec ces difficultés.

Bien entendu, je n'érige pas cette affirmation en principe absolu, mais je suis réellement convaincu, encore une fois, qu'il n'est pas négligeable pour un élu de connaître personnellement les réalités de l'existence des travailleurs. De les connaître dans leur façon même de vivre.

Il ne faudrait pas conclure de toutes ces précisions que l'élu communiste est un traîne-misère. Non, son salaire lui permet de vivre correctement. J'ajoute que la plupart des maires des villes importantes disposent d'une voiture et c'est un avantage non négligeable. C'est le seul et je le souligne car quelquefois on nous dit « votre salaire n'est pas très élevé mais vous avez une foule d'avantages... » ; eh bien non ! en dehors de la voiture, il n'y en a aucun (sauf que lorsqu'on est député on dispose d'un secrétariat).

Telles sont les conditions dans lesquelles l'élu communiste a été désigné par le parti et les conditions dans lesquelles il travaille. Reste à préciser comment est organisé le travail municipal proprement dit.

Le Bureau municipal constitue la cheville ouvrière de la gestion communale. Il comprend le maire et les adjoints — voire deux ou trois conseillers municipaux ayant la responsabilité d'un secteur particulier d'activité. Le Bureau municipal se réunit chaque semaine ; son rôle est triple. Il examine tout d'abord les affaires courantes et règle toutes les questions qui appellent une décision immédiate. Il anime et coordonne le travail des Commissions et prépare les réunions du Conseil municipal (réunions officielles et réunions officieuses d'étude sur des questions importantes).

Le grand écueil à éviter c'est que le Bureau municipal ne se substitue purement et simplement au Conseil municipal. Après 15 ans d'expérience et de recherche, si nous n'avons pas trouvé la solution idéale pour éviter cet inconvénient, nous avons pris de nombreuses dispositions pour le corriger.

C'est ainsi que les décisions importantes sont *toujours* prises en réunions du Conseil municipal.

C'est ainsi également que les décisions du Bureau municipal sont consignées régulièrement chaque semaine dans un procès-verbal qui est envoyé à tous les conseillers municipaux. Chaque conseiller est donc tenu informé de toutes les décisions. J'ajoute que ce procès-verbal est aussi envoyé au secrétaire de la section du parti communiste et au secrétaire de la section du parti socialiste, notre Conseil municipal étant un conseil d'union qui compte maintenant cinq élus socialistes.

Chaque élu et les directions de sections (communiste et socialiste) sont donc informés avec précision de toute l'activité du Bureau municipal et ils ont toute latitude pour nous faire part de leurs observations éventuelles.

Par ailleurs, chaque conseiller municipal est membre d'une — ou de plusieurs — commission de travail ; ces commissions sont au nombre de douze :

Finances — Personnel — Aménagement et Travaux — Santé — Affaires culturelles — Enseignement — Aide sociale et enfance — Commerce, Industrie, Emploi — Jeunesse — Sports — Relations publiques — Environnement.

Ces commissions se réunissent à l'initiative de leur président — le maire est président de droit de chaque commission mais il délègue ses pouvoirs à un adjoint ou à un conseiller municipal — à intervalles plus ou moins réguliers. Leurs conclusions sont examinées au Bureau municipal, puis soumises au Conseil municipal.

Dans l'intervalle de ces différentes réunions — du Bureau, du Conseil et des Commissions — les élus communistes d'une part, les élus socialistes, d'autre part, se réunissent entre eux, si bien que le cycle d'un fonctionnement démocratique de la gestion municipale est parfaitement bouclé.

Reste à associer la population à ce fonctionnement. L'entreprise apparemment fort simple dans son principe devient beaucoup plus difficile lorsqu'il s'agit de la traduire dans les faits.

CHAPITRE VI

En direct avec la population

FAIRE participer l'ensemble de la population à la gestion de ses propres affaires comporte deux phases : la première, la plus facile, consiste à informer ; la seconde, plus difficile, relève de la participation effective des habitants de la cité à l'élaboration des solutions et des décisions. Il est capital en effet que la démocratie joue dans les deux sens : du Conseil municipal vers la population et de la population vers le Conseil.

Voyons le premier aspect. La mairie doit être la maison de tous par excellence. Tout ce qui s'y passe doit pouvoir être vu et entendu. Mais les portes et les fenêtres peuvent bien être ouvertes aux citoyens de la ville, cela ne saurait suffire à une connaissance réelle de la manière dont sont gérées les affaires ; et guère davantage le fait que les séances du Conseil municipal soient publiques. En général, ces séances se déroulent devant un auditoire très restreint. Au temps où il y avait au sein du Conseil une minorité d'opposition, l'auditoire était beaucoup plus fourni. Les séances étaient animées ; on s'y rendait un peu comme on va au spectacle. Avec un Conseil municipal homogène et même d'union démocratique, le spectacle est plutôt terne ; il n'y a pas de « bagarre », même pas orale. Non pas que la discussion soit interdite ou absente mais comme toutes les questions ont toujours été débattues préalablement dans les Commissions et au Bureau municipal, les débats en séance publique sont réduits à leur plus simple expression et ne présentent, il faut le reconnaître, qu'un intérêt très limité pour les auditeurs éventuels.

Est-ce un bien, est-ce un mal ? je crois que c'est un mal.

D'où vient donc ce mal ?

La première condition pour que les habitants de la cité s'intéressent à la gestion de la ville, c'est qu'ils soient informés. A cet effet, la municipalité utilise trois moyens essentiels : le bulletin d'informations municipales ; les comptes rendus de mandat ; les permanences.

Parlons d'abord du bulletin municipal. Il essaie de traduire fidèlement le travail des élus. On trouvera page suivante le fac-similé de l'un de ces bulletins.

Je suis persuadé que notre expérience en matière d'informations des administrés est loin d'être exemplaire. Mais quelle est la meilleure solution ? Publier, comme le font de nombreuses municipalités, de très belles plaquettes, une ou deux fois par an, ou se limiter à une publication plus modeste mais plus fréquente ? ou bien encore, réaliser un compromis entre les deux formules : un bulletin mensuel et une ou deux plaquettes par an. La question n'est pas décisive. L'essentiel c'est plutôt le contenu de ces publications.

En général, il ne suscite guère le dialogue avec les habitants de la ville — sauf s'il comporte une enquête sur une question donnée. Pourquoi ? La

raison principale réside peut-être dans le fait que ces bulletins sont trop souvent rédigés en termes de pure information. Ce sont des articles, des photos qui expliquent et qui illustrent l'activité des élus : photographies d'un repas offert aux personnes âgées ; photographies des enfants en colonie de vacances, dans un centre aéré ; et encore les sportifs ; les mamans, etc. Dans d'autres domaines, on montre la construction d'une école, d'une crèche, la réfection de trottoirs. Bref, nos bulletins exposent les réalisations ; ils expliquent les difficultés rencontrées mais ils ne suscitent peut-être pas suffisamment la suggestion ou la critique.

Il est rare par exemple que l'on mette l'accent sur telle ou telle insuffisance manifeste de notre gestion. Et pourtant, quel maire, quel Conseil municipal peut se targuer de n'avoir fait jamais aucun faux pas ? de n'être responsable d'aucune insuffisance !

J'entends bien que le bulletin d'informations d'une municipalité ne saurait être une tribune d'opposition systématique. Il est juste et normal qu'il reflète les réalisations et les activités municipales, mais les lumières ne devraient pas exclure les ombres.

Je ne fais ici la critique de personne si ce n'est la mienne propre puisque je suis le premier responsable de l'équipe municipale. Je constate seulement que nous n'avons pas réussi pleinement à faire du bulletin municipal un organe suscitant la participation de la population à notre gestion ; un organe de *dialogue vivant* entre la municipalité et la population.

Outre le bulletin municipal, les comptes rendus de mandat et les permanences des élus constituent les deux autres moyens essentiels tendant à assurer la liaison avec la population.

Le compte rendu de mandat est une tradition rigoureusement respectée par les élus communistes. Une fois par an, et quelquefois, si les circonstances l'exigent, plusieurs fois par an, l'élu communiste vient rendre compte de son activité à ses électeurs. Traditionnellement, c'est l'occasion d'exposer, dans un préau d'école, les réalisations et les projets de la municipalité.

Le plus souvent maintenant, la population est conviée à un débat sur un sujet donné. C'est un moyen de participation non négligeable. Par exemple, les deux derniers débats organisés par notre municipalité portaient, le premier, sur l'élaboration du budget, le second, sur la lutte contre le bruit et particulièrement contre le bruit des avions — nous sommes à proximité d'Orly —, des véhicules automobiles et des trains.

Dans le premier cas, la participation ne fut pas très importante ; c'est que, sans doute, les questions budgétaires n'attirent guère les foules en raison de leur complexité, apparente sinon réelle. Mais, c'est aussi très certainement parce que nous n'informons pas assez la population.

Par contre, les réunions débats relatives à la lutte contre le bruit ont rassemblé un auditoire beaucoup plus nombreux. Le bruit est devenu un véritable fléau ; que peut-on faire pour l'atténuer ? c'est évidemment une question d'un très grand intérêt, mais une question qui, au départ, peut laisser sceptique. Que peut-on faire en vérité ? Si l'on s'en tient à une réunion plus ou moins bruyante qui ne ferait qu'ajouter un bruit supplémentaire à tous les autres, il vaut mieux s'en abstenir mais si, au contraire, on recherche les moyens concrets de limiter les bruits, alors l'intérêt est en éveil.

Par exemple, Choisy-le-Roi doit être traversée par l'autoroute A 86 qui contournera Paris par le sud. Que peut-on faire pour que le bruit des véhicules automobiles ne transforme demain la ville en enfer ?

Le projet initial traversait à ciel ouvert un quartier très peuplé... Aujourd'hui, et grâce précisément aux protestations en particulier des riverains éventuels de cette autoroute, constitués en comité de quartier, les pouvoirs publics nous ont soumis cinq projets différents. Ils constituent tous des améliorations non négligeables par rapport au projet initial, mais il reste à faire triompher le meilleur projet ; celui qui apporterait le moins de gêne à notre ville. La lutte continue en association étroite avec la municipalité et la population. La partie n'est pas encore gagnée mais un premier succès a été obtenu : le projet initial est définitivement abandonné.

Cet exemple illustre assez bien comment la population peut être associée à l'action de la municipalité et peut venir appuyer cette dernière.

De la même manière, grâce à l'action conjuguée de la municipalité, des associations de parents d'élèves et des enseignants, des groupes scolaires ont pu être construits ou des classes maintenues qui devaient être fermées.

Dans notre langage, souvent hermétique, de communistes nous appelons cela le travail de masse, l'appel aux masses, l'action des masses. C'est tout simplement la participation de la population — de l'ensemble de la population — ou d'une catégorie particulière de la population, soit directement, soit par l'intermédiaire des différentes associations locales, des comités de quartier, à des démarches rendues indispensables pour faire aboutir tel ou tel projet d'intérêt évident, pour écarter telle menace qui léserait la ville, ou pour faire supprimer telle mesure dont on déplore les effets.

Dans ces conditions, la liaison entre les élus et la population est réelle, étroite et quasi permanente.

Pratiquement, cela signifie que l'emploi du temps d'un maire est toujours bien rempli ; que la semaine commence, comme pour tout le monde, le lundi matin mais qu'elle se termine le plus souvent le dimanche soir.

Chaque matin vers huit heures, lecture du courrier. A neuf heures, je reçois avec le premier adjoint, le secrétaire général de la mairie et le directeur des services techniques pour examiner les affaires courantes. C'est ensuite la succession des rendez-vous et des réunions de travail sur les mille et un sujets de la gestion des affaires de la ville : à la préfecture, dans un ministère, à la mairie. Le soir, ce sont les réunions des commissions municipales ; les réunions aussi du Parti (Comité de section, assemblée des militants...).

Bref, levé tôt, couché tard, c'est le lot de chaque militant. Pour donner une idée plus précise de mon travail, voici relevé dans mon agenda l'emploi du temps d'un samedi et d'un dimanche.

Samedi 26 avril 1975

de 8 h 30 à 12 h : réception à la mairie ; c'est ce que l'on appelle la permanence du maire ; j'y reviendrai plus longuement.

à 14 h 30 : rencontre dans un quartier avec les représentants d'une amicale de locataires.

à 16 h : baptême civil [1].

à 16 h 30 : célébration de noces d'or.

à partir de 18 h : remise des prix à l'issue d'un concours de pétanque.

à 21 h : réunion des militants de la section du P.C.F.

Dimanche 27 avril

à 9 h : assemblée générale de l'association des pêcheurs à la ligne : la « Gaule de Choisy-le-Roi », qui compte 5 000 adhérents.

à 10 h 30 : dépôt d'une gerbe au monument aux morts pour l'anniversaire de la libération des camps de concentration.

à 11 h : remise à la mairie des diplômes d'honneur du travail.

à 15 h : assemblée des femmes chefs de famille.

à 17 h : concours régional de gymnastique dans un gymnase de la ville.

Et le lundi, à 8 heures, une nouvelle semaine recommence.

---

1. Le baptême civil, qui n'est pas un acte officiel au sens strict de la loi, a été instauré par un décret de la Convention du 20 Prairial de l'An 2 (1794). Cette pratique, généralement tombée en désuétude, sauf à Choisy et en quelques rares villes, a pour but de donner à un enfant, qui n'est pas baptisé à l'église, un parrain et une marraine. On trouvera page suivante le fac-similé de l'acte de parrainage civil.

VILLE DE CHOISY-LE-ROI
(VAL-DE-MARNE)

ACTE DE PARRAINAGE CIVIL

Dans la liberté absolue de leur conscience, à l'abri de tous préjugés religieux et dans le seul but de donner à leur enfant l'aide morale et l'appui qui pourront lui être nécessaires au cours de son existance, le Citoyen _____ et la Citoyenne _____
ont confié au Citoyen _____ et à la Citoyenne _____
qui ont accepté le soin de remplir l'office de parrain et de marraine de leur enfant _____
_____ né à _____ le _____

Fait au cours d'une fête familiale ayant lieu à Choisy-le-Roi, en la Mairie, le _____
et à laquelle assistaient les soussignés.

LA MÈRE,   LE PÈRE,   LA MARRAINE,   LE PARRAIN,

PARENTS ET AMIS PRÉSENTS

Vu pour légalisation des signatures ci-dessus :
Choisy-le-Roi, le _____
Le Maire,

IMPRIMERIE ABBETT - CHOISY-LE-ROI

Si j'ai donné cet « exemple » d'emploi du temps d'un samedi et d'un dimanche — et tous les maires savent bien qu'il n'a rien d'exceptionnel — c'est moins pour souligner le poids de la charge que pour montrer l'extrême diversité des activités d'un maire et par là même, les aspects multiples de la liaison de l'élu avec la population.

J'ai parlé de la permanence du maire ; je voudrais m'y arrêter un peu plus longuement. Le maire, chaque adjoint et plusieurs conseillers municipaux se tiennent à jour et à heure fixe à la disposition de la population ; soit à la mairie, soit directement dans les différents quartiers de la ville.

Pour ce qui me concerne, je « reçois » à la mairie tous les samedis matin de 8 h 30 à 12 heures. Mais cela ne suffit pas. Il me faut réserver une ou deux autres matinées sur rendez-vous. Je vois ainsi en moyenne 40 à 50 personnes par semaine. Comme il y a 52 semaines dans l'année et même déduction faite des vacances, et des personnes qui viennent me voir plusieurs fois, je rencontre ainsi personnellement chaque année plus de 2 000 citoyens de ma ville. Peut-être un peu moins, peut-être un peu plus. Ce n'est pas l'aspect statistique qui importe mais le caractère individuel de ces rencontres, le caractère humain. De toutes les tâches qui m'incombent, je tiens celle-là pour la plus importante, la plus éprouvante, la plus enrichissante. Tâche émouvante, irritante, bouleversante souvent, amusante quelquefois. Je ne crois pas qu'il y ait un moyen plus efficace pour connaître sa ville et ses habitants que ces rencontres-là : c'est une école remarquable.

Mais que veulent donc toutes ces personnes, pourquoi viennent-elles voir le maire ?

Il y a évidemment les « tapeurs » professionnels

qui viennent solliciter un secours... et qui repartent du même pas pour s'adresser à la Croix-Rouge ou au curé. Ceux-là, on les connaît très vite et, contrairement à ce que l'on croit souvent, ils sont peu nombreux.

Mais il y a les autres.

Et tout d'abord — les plus nombreux je crois — ceux qui viennent « solliciter » un logement. Quels drames. « Nous avons X... enfants, nous vivons dans un ancien poulailler au fond d'un jardin... Nous sommes dans une mansarde ; il n'y a ni eau ni gaz ; les W.C. sont dans la cour »... Des cas extrêmes ? sans doute ; mais combien de familles habitent ainsi dans des conditions inhumaines, inacceptables, inadmissibles : 200 prioritaires, auxquels il faut ajouter plusieurs centaines d'autres (800) dont les logements sont insuffisants : trop étroits ou insalubres. C'est à peine croyable. Il y a dans le Val-de-Marne 42 000 mal logés. Sait-on bien ce que cela veut dire ? ce que cela signifie directement pour les intéressés : la cave, la mansarde, le cabanon... la pluie qui tombe sur le berceau du nouveau-né, le froid, l'entassement des parents et des enfants, les grands avec les petits, les filles, les garçons... Et l'on parle de la démocratie de notre enseignement, de l'égalité des chances du riche et du pauvre. Comment cet enfant qui n'a jamais la possibilité de s'isoler chez lui pour lire, pour travailler peut-il être considéré comme « l'égal » de celui qui a la « chance » de vivre au sein d'une famille instruite et confortablement logée ? Ah, comme je voudrais pouvoir ici transcrire toutes ces fiches de permanence sur les conditions de logement... il y en aurait des pages... pour la honte du régime de notre époque.

On me rétorquera, peut-être : « Mais pourquoi

donc le maire que vous êtes n'a-t-il pas fait construire les logements nécessaires. » Oui, pourquoi ? La question viendra en son temps, nous la retrouverons.

En attendant, revenons à la permanence... pour recevoir toutes les personnes qui cherchent un emploi. Des femmes tout d'abord, de nombreuses femmes qui veulent travailler — ou qui sont contraintes de le faire car le salaire ou le traitement du mari ne suffit plus à faire vivre la famille. Et des hommes, bien sûr : des jeunes qui cherchent leur premier emploi, mais aussi des hommes de quarante ans, cinquante ans, qui ont été licenciés... et qui se heurtent toujours à la même réponse : « 45 ans ! Eh bien ! on verra ; on vous convoquera. »

Il y a, bien sûr, quelques « spécialistes » qui cherchent un emploi en permanence ; ils sont très peu nombreux. Le problème de l'emploi dans la région parisienne est devenu un grave problème du fait de la « décentralisation » ; c'est ainsi que dans le département du Val-de-Marne on peut estimer qu'en janvier 1975, il y a 30 000 personnes qui recherchent un emploi, ce qui correspond au taux de chômage le plus élevé depuis 30 ans. Parmi ces chômeurs, 50 % sont des femmes (38 % en 1970) et 25 % des jeunes de moins de 25 ans. Le chômage partiel a touché, en novembre 1974, 2 000 salariés. Au cours des six derniers mois de l'année 1974, 76 entreprises ont procédé à des licenciements, 18 ont été décentralisées et 55 ont fermé leurs portes.

A Choisy-le-Roi, dans les dix dernières années, 2 530 emplois répartis dans une quinzaine d'entreprises ont disparu. La situation est donc très préoccupante.

Avec les questions de logement et d'emploi, les questions relatives à l'enseignement font l'objet de nombreuses visites. Des jeunes gens et des jeunes filles dotés d'un parchemin : licence, maîtrise, et qui cherchent vainement un poste. Ils sont ainsi des dizaines dans la commune ; des milliers dans la région parisienne. Des élèves pour qui les parents cherchent une place dans un établissement secondaire ; les affectations qui ne correspondent pas au secteur géographique, les handicapés pour lesquels on ne trouve pas de solution... et une foule de cas particuliers dont chacun constitue souvent pour la famille concernée un véritable drame.

Tous les problèmes de l'enseignement sont ainsi évoqués dans leur réalité concrète, dans la vie... et j'ai souvent pensé qu'un ministre de l'Education nationale devrait commencer par faire quelques séjours sur le tas : dans une ville, dans un village et dans chaque établissement scolaire de l'école maternelle à l'université... Ce serait un bon moyen de concevoir les questions relatives aux constructions scolaires, à la formation des maîtres, aux programmes, aux œuvres sociales, à l'orientation, aux difficultés des familles... sur des bases solides, réalistes.

Parmi les autres grands sujets dont nous parlons au cours de ces entretiens, il faut encore citer les impôts. Lorsque les feuilles jaunes arrivent, c'est le signal. On vient demander des explications, ce qui est parfaitement normal. Pourquoi cette augmentation sur l'an dernier ? Pourquoi mon voisin qui occupe le même logement paie-t-il moins que moi ? Comment voulez-vous que je paye une somme pareille ?

Enfin, il y a tous les cas particuliers et alors c'est à l'ami que l'on vient s'adresser, au confident... au dernier recours ; un peu comme on va voir le curé, l'avocat ou le docteur. Il n'est pas rare d'ailleurs que l'on me dise : monsieur le curé, ou docteur, ou maître... pour me confier les questions les plus intimes : un ménage qui ne marche pas : « Peut-être, monsieur le maire, si vous lui parliez »..., un mari qui est en prison... des enfants qui ont fait des bêtises... une femme qui a quitté son mari et celui-ci me suppliant de « la faire revenir »... un père qui boit... une vieille dame « martyrisée » par ses enfants... le voisin qui fait trop de bruit... le chien qui aboie la nuit... une jeune fille qui va avoir un enfant et qui n'ose en parler à ses parents : « Vous voulez pas leur en parler vous ?»... des parents qui ne veulent pas assister au mariage de leurs enfants : « Si vous les voyiez monsieur le maire »... un homme qui bat sa femme, ses enfants... une jeune femme régulière-ment rouée de coups par son mari.... « il me tuera, monsieur le maire ; faites quelque chose... ».

Et puis ceux qui viennent simplement pour voir le maire. « Il y a longtemps que je ne vous ai pas vu, je n'ai rien à vous demander, simplement vous voir. Comment va la santé ? Voilà, c'est tout... »

Evidemment, il y a aussi les « originaux ». Mais faut-il en parler ? Faut-il émailler ce récit des perles glanées au cours de tous ces entretiens ? non, j'ai trop de respect pour mes visiteurs. C'est affaire de confiance ; la confiance qu'ils me font et je ne crois pas jamais l'avoir trahie une seule fois. Je n'ouvrirai donc pas la chronique « croustillante » ou « scanda-leuse » de la cité...

Je ne retiendrai qu'une note amusante...

C'était une vieille dame de 82 ans. Elle est venue me voir deux ou trois fois, ou quatre, ou cinq fois par an pendant 5 ans. Toute menue, vive et alerte, elle radotait gentiment, intarissablement. Chaque fois, elle me portait un œuf ; un œuf de sa poule... Ah ! cette poule, quelle place elle tenait dans sa vie : c'était sa compagne, sa confidente. Je sais la place que tiennent les chats, les chiens dans la vie de beaucoup de gens, mais jamais je n'aurais pu imaginer qu'une poule... Elle l'appelait « Clairette »... la plus belle histoire de bête, la plus touchante, la plus farfelue, la plus invraisemblable.

« Je ne vous ai pas dit, monsieur le maire, pour les fêtes, je l'habille.

— Vous l'habillez ?

— Oui. Pour le 14 juillet, tenez, je lui ai fait tout un costume tricolore. A Noël, je lui mets des « scintillants » partout avec des chaussettes...

— Des chaussettes ?

— Ah oui ! c'est compliqué pour les enfiler, à cause des doigts... mais je vous les montrerai... vous verrez ; elles se boutonnent. Et puis, pour l'anniversaire de la mort de mon pauvre mari, je la mets en deuil ; mais pour l'anniversaire de mon mariage... il faudra venir à la maison, c'est le 17 avril. »

J'y suis allé un 17 avril, la poule était habillée en mariée... tout de blanc avec un grand voile noué autour de la crête...

Ridicule, grotesque ? Eh bien non ! c'était charmant, à moins que je ne sois, comme la vieille dame, retombé en enfance !

Avec la poule, il y a eu longtemps une histoire considérable de petits pois. Elle n'arrivait pas, jamais, à manger des petits pois parce que chaque fois, à mesure qu'elle les écossait... la poule les mangeait. Aucun détail ne m'était épargné... comment feriez-vous monsieur le maire ?...

Et puis, et puis, des bavardages interminables, des mots, des mots. Un jour, elle voulait que je lui donne la confession.

« Vous savez bien que je ne suis pas le curé.

— Oui, oui, je sais, mais je ne peux pas raconter
ça à quelqu'un d'autre. Ecoutez, que Dieu me pardonne. Ma petite-fille, celle que vous avez mariée
au mois de juin, est venue coucher à la maison avec
son mari. Dans la nuit, j'ai entendu le lit craquer.
J'ai regardé par le trou de la serrure. Que Dieu me
pardonne. Ils n'avaient pas éteint la lumière. Mon
Dieu, les pauvres enfants... ils ne savent pas ! ils ne
savent pas ! qu'est-ce qu'on peut faire ? »

Oui, qu'est-ce qu'on peut faire ? Qu'est-ce qu'on
peut faire pour ne pas radoter aussi... un peu.

Il faut en tout cas écouter, savoir écouter et c'est
peut-être la première vertu que doit posséder pleinement un maire. Savoir écouter patiemment, longuement, et pas seulement bien sûr les petites histoires,
mais tout, rien et n'importe quoi. Et parce que ces
riens et n'importe quoi, ce n'est pas rien et n'importe
quoi pour l'intéressé ; c'est pour lui l'essentiel du
moment ; c'est sa préoccupation première, son « problème » comme on dit aujourd'hui. Savoir écouter,
mais aussi donner une suite concrète à toutes ces
visites. Ce qui veut dire qu'après la permanence il y a
un travail considérable, que j'assume avec mon secrétariat, pour rédiger des interventions diverses auprès
des ministres, des services publics en général... et
pour vérifier ensuite les résultats obtenus dans chaque
cas.

La vie est avant tout affaire individuelle et les
grands discours en général, les beaux discours sur
les difficultés de l'existence, sur les responsabilités
de la politique gouvernementale ; les inaugurations
où l'on pavoise un peu sur les estrades, avec des fleurs,
des applaudissements... ne sauraient suffire à répondre
à toutes les questions qui nous sont posées.

Certes, il faut en passer par là, mais ce que je tiens à souligner, c'est que les grandes affaires de la gestion d'une ville ne devraient à aucun moment faire oublier ou simplement négliger les difficultés particulières, les soucis que connaissent les habitants de la cité.

Combien de fois un maire n'a-t-il pas entendu ces réflexions :

« Oui, c'est bien ce que vous venez de réaliser — une école, une crèche, un gymnase —, c'est parfait, mais ça coûte cher. Vous nous dites : c'est la faute du gouvernement, et c'est sans doute vrai, mais en attendant, c'est nous qui payons, et puis, un gymnase, c'est bien joli, c'est même utile, je le reconnais, mais ça ne me donne pas de logement... et ça n'a pas arrangé mon trottoir... et ça n'a pas donné de travail à mon fils. »

Nous touchons là un problème fondamental : comment peut-on gérer les affaires d'une ville dans une société capitaliste quand on est communiste ?

CHAPITRE VII

Une contradiction fondamentale

Les textes officiels précisent que le maire est le chef du pouvoir exécutif municipal et qu'il est dans la commune le représentant de l'Etat. Il est donc tout à la fois un homme politique et un fonctionnaire public : un homme politique qui est le représentant élu de la collectivité locale ; un fonctionnaire public bien qu'il ne soit plus désigné par le pouvoir central.

Comment peut-on être communiste et agent du pouvoir central quand, précisément, en tant que communiste, on combat ce pouvoir central ? La contradiction est évidente. Pour la résoudre, il n'y a guère d'autre solution, avec la lutte, que le compromis qui joue sur les principes mais aussi dans la vie. C'est une situation qui n'est pas précisément confortable. Elle exige en effet de se garder d'un double écueil ; l'écueil qui consiste à tomber dans ce que nous appelons dans notre langage « le crétinisme municipal » — qui donc a inventé cette formule ? —, c'est-à-dire à se transformer en gérant loyal des affaires du capitalisme ; et l'écueil inverse qui consiste à nier purement et simplement les règles du jeu, je veux dire les réalités officielles de la fonction municipale.

L'entreprise est complexe et mérite qu'on s'y attarde. Elle revêt des aspects multiples et, sans prétendre vouloir tous les examiner — et à plus forte raison apporter une réponse exhaustive — il peut être intéressant d'essayer de cerner quelques-uns de ces aspects : l'aspect général tout d'abord, puis deux aspects concrets :

1° Les relations d'un maire communiste avec les pouvoirs de tutelle (chapitre IX) ;

2° les relations avec le personnel communal (chapitre X).

Puis nous conclurons en posant cette question : quel intérêt a le parti communiste français à diriger des municipalités (chapitre XI) ?

Voyons donc l'aspect général.

Dire qu'en tant que militants communistes nous combattons la politique du pouvoir central n'est pas très original. Tout le monde le sait. Nous combattons cette politique, nous travaillons à la changer. Notre démarche politique est bien connue. Nous voulons remplacer le système économique et politique sur lequel est bâtie une société injuste par un système nouveau qui permettra d'édifier une société plus rationnelle, plus juste et plus fraternelle.

J'ai déjà expliqué que le maire communiste était un militant comme les autres, avec les mêmes devoirs et les mêmes droits ; il participe donc tout naturellement à l'application de la politique de son parti, à toutes les luttes contre la politique gouvernementale.

Reste à concilier cette affirmation avec la qualité d'agent du pouvoir du maire.

On peut toujours s'en tirer avec quelque formule soigneusement étudiée, du genre « ne rien faire qui

mette en cause la politique du parti » ou bien
« n'accepter aucune compromission avec le pouvoir ».

C'est évident. Mais encore.

On n'administre pas seulement une ville avec des
formules. La gestion d'une ville est faite de réalités
et c'est avec ces réalités que l'on est aux prises.

Prenons quelques exemples.

On a assez dit et répété que la fiscalité municipale
était archaïque et injuste et que le pouvoir central
transformait de plus en plus les maires en collecteurs
d'impôts. Et c'est vrai. Je reviendrai sur cette question capitale de la fiscalité communale ; je ne veux
en retenir ici qu'un exemple pour illustrer la contradiction « maire et communiste ».

Voilà donc un militant communiste qui est devenu
un collecteur d'impôts pour les besoins d'une politique qu'il condamne, d'une politique qu'il combat.
Cette affirmation un peu schématique peut paraître
excessive ; pourtant, lorsque les contribuables reçoivent les feuilles d'impôts locaux, c'est toujours
d'abord — et tout naturellement — le maire qu'ils
rendent responsable de leur montant. Je dis bien le
maire et pas seulement les maires communistes. Toutefois, pour un maire U.D.R., indépendant ou cen-
triste, il est normal qu'il porte toute la responsabilité
puisque la politique qu'il défend, sur laquelle il a
été élu, c'est aussi la politique du pouvoir central.
Mais pour un maire de l'opposition et communiste
en particulier, que faut-il faire ?

Expliquer bien sûr. Expliquer les raisons profondes
de la charge que constituent les impôts locaux : les
subventions réduites, l'augmentation du taux des
emprunts, la T.V.A., etc.

Il fut un temps où nous ne prenions guère en
considération le poids même des impôts sur les

contribuables ; nous pensions qu'il suffisait d'expliquer que nous n'étions pas responsables de cette
charge. C'était encore le temps où le poids des impôts
n'était pas trop lourd.

Mais, aujourd'hui, ce poids est devenu proprement
insupportable pour de nombreux contribuables. La
responsabilité du maire est elle-même devenue insupportable. C'est pourquoi d'ailleurs dans cette dernière
période, le parti communiste français a invité les
maires communistes à ne pas augmenter les impôts.
C'est un moyen, très juste indiscutablement, pour se
tirer de la contradiction. Nous ne devons pas faire
payer les frais de la crise aux contribuables. Malheureusement, ce moyen devient vite inapplicable sans
retomber dans une autre contradiction : pour ne pas
augmenter les impôts, il faut réduire les dépenses,
c'est l'a.b.c. de l'équilibre du budget. Mais il y a des
dépenses incompressibles : traitements des employés,
annuités d'emprunts, contingents, etc. Il y a la hausse
des prix et des salaires, de la T.V.A. Donc il faut
réduire des dépenses de caractère social, ce qui met
en cause l'orientation fondamentale de la gestion
d'un élu communiste.

On est coincé, et aucun grand principe, aucune
formule ne nous tirera de là.

Alors, bien sûr, il faut organiser la lutte pour
contraindre l'Etat à prendre en charge les dépenses
qui lui incombent, mais en attendant qu'il en soit
ainsi, il faut bien composer, c'est-à-dire augmenter
le moins possible la charge fiscale pour les contribuables en essayant de préserver toutes les activités
qui permettent d'aider les familles les plus défavorisées.

Voici un deuxième exemple : les problèmes scolaires. Je ne crois pas forcer la vérité en écrivant

que sans la contribution des municipalités à des dépenses qui, normalement, incombent au ministère de l'Education nationale, notre enseignement serait pratiquement paralysé ou fonctionnerait en tout cas dans des conditions vraiment déplorables.

Prenons les constructions scolaires. Il y a moins de 15 ans, la subvention allouée à une commune pour la construction d'une école s'élevait à 85 %, voire 90 % de la dépense totale. Aujourd'hui, si l'on tient compte du prix du terrain (dans les villes), il n'est pas rare, par le jeu de la T.V.A. que ce soit la commune qui paie l'Etat. C'est invraisemblable ! Et pourtant, c'est vrai. Alors, que faut-il faire ? Ne plus construire d'écoles ?

Mieux, ou pis — je ne sais pas s'il faut en rire ou en pleurer — j'ai connu cette situation kafkaïenne à propos de la réalisation d'un C.E.T.

Pour la construction d'un C.E.T., la commune doit fournir le terrain — sur le prix duquel elle recevait, à l'époque, une subvention particulière. Il s'est trouvé que le terrain sur lequel cet établissement devait être construit appartenait à l'Education nationale ; nous avons donc noté dans le dossier que la question du terrain ne se posait pas.

Erreur ! Elle se posait. Le ministère me rappela les textes en vigueur selon lesquels la commune était tenue de mettre le terrain à la disposition de l'administration de l'Education nationale, laquelle administration octroierait à la commune une subvention pour l'acquisition de ce terrain.

Je répondis, une fois, deux fois, que puisque le terrain appartenait à l'Education nationale, etc.

Et l'on me répondit une nouvelle fois, puis encore une fois, que la commune était tenue, etc.

Je parlai de cette affaire à M. Fouchet, qui était

alors ministre de l'Education nationale. Il convint
avec moi que l'affaire était invraisemblable ; qu'il
fallait la régler avec le ministère des Finances. Nous
en parlâmes à Giscard d'Estaing, grand argentier
d'alors... on allait arranger ça. Eh bien ! rien ne
s'arrangea.

La commune dut acheter le terrain à l'Education
nationale et le mettre ensuite à la disposition de cette
même Education nationale, laquelle versa alors à la
commune une subvention pour l'acquisition de ce
terrain.

Que faut-il faire en pareil cas quand on est communiste ? Le rester évidemment, et plus convaincu que
jamais. Et si l'on n'est pas communiste, on doit le
devenir, non ? A tout le moins, on ne peut pas, à
l'évidence, ne pas souhaiter des changements profonds...

Cet exemple — si l'on peut dire — devrait suffire.
J'en prendrai pourtant d'autres pour souligner encore
« l'inconfort » dans lequel peut se trouver placé un
maire communiste.

A la rentrée scolaire, un C.E.S. est nationalisé.
Bravo ! Seulement, rien n'a été prévu par le ministère pour que la prise en charge par l'Etat soit
effective. Rien pour le personnel de service ; rien
pour la cantine... Là encore, que faut-il faire ? Au
nom des principes, justes, indiscutables, il conviendrait de couper toute participation de la commune
au fonctionnement du C.E.S. à la date de sa nationalisation. Le résultat en serait qu'à la rentrée et
durant une semaine ou un mois, ou trois mois, les
élèves ne pourraient pas prendre le repas du midi
dans l'établissement, que les classes ne seraient pas
nettoyées, que le principal devrait assurer seul le
secrétariat... Alors, faut-il pénaliser les élèves, le per-

sonnel enseignant ou faire face à des dépenses qui
n'incombe absolument pas à la commune ?

On retrouve toujours la même contradiction. On
est coincé !

Dernier exemple : l'indemnité de logement payée
par les communes aux instituteurs non logés. Cette
indemnité est payée par les communes depuis 1884.
Son montant est fixé par une commission départementale et le préfet est chargé d'en assurer le respect
par les municipalités.

Il y a quelques années, cette indemnité a été augmentée sensiblement. Quelle a été notre position ?
Nous avons dit : « L'augmentation est justifiée, mais
compte tenu des difficultés financières que connaissent les municipalités, nous n'appliquons pas les nouveaux tarifs ; nous allons engager une grande campagne avec les instituteurs eux-mêmes pour exiger
de l'Etat la prise en charge de cette indemnité, du
moins une aide exceptionnelle aux communes ».

Le raisonnement était inattaquable... mais notre
position est rapidement devenue intenable et, pour
cette raison que faute d'avoir pu obtenir de l'Etat
l'aide réclamée, les instituteurs ne percevaient pas
leur augmentation. C'est eux qui étaient pénalisés.
Nous avons dû céder certes, mais après une lutte
juste et nécessaire avec l'ensemble des enseignants.

Nous étions une fois encore coincés entre les
limites qu'il est difficile de franchir, sans entrer
d'un côté, dans l'illégalité ou sans renier, de l'autre,
notre qualité première de militants communistes.

On observera peut-être qu'une telle démarche n'est
guère marxiste... mais on peut tout aussi bien rétor-
quer qu'elle est au contraire de pure essence marxiste.
On évolue constamment en pleine dialectique : la
contradiction, le jeu des contraires, la lutte perma-

nente entre l'ancien et le nouveau d'où jaillit le
mouvement, sinon toujours la lumière...

Quelle conclusion peut-on tirer de tout cela !
Incontestablement, que la contradiction est une
réalité bien vivante et qu'il n'y a peu de solution
miracle pour la résoudre. La solution réside dans
un changement de nature, dans un changement qua-
litatif d'un côté ou de l'autre. Il est hors de question
qu'un communiste cesse d'être communiste ; il faut
donc changer la nature de l'autre composante ; changer la nature du pouvoir central. C'est à quoi nous
nous employons et le rôle d'un élu communiste n'est
nullement négligeable pour organiser et animer les
luttes indispensables.

CHAPITRE VIII

Les rapports avec les pouvoirs de tutelle

A VANT de faire le bilan, il faut dire quelques mots des rapports d'un maire communiste avec les pouvoirs de tutelle. Qu'entend-on tout d'abord par pouvoirs de tutelle ? Il s'agit d'un contrôle administratif exercé par le préfet et qui porte tout à la fois sur les personnes et sur les actes.

Sur les personnes : le préfet peut suspendre un Conseil municipal ; il peut déclarer démissionnaire d'office un conseiller municipal.

Sur les actes : si les délibérations du Conseil muninipal sont « exécutoires par elles-mêmes », elles n'en doivent pas moins être soumises à l'approbation du préfet.

Nous reviendrons sur la « tutelle » en général dans le chapitre consacré aux libertés communales. Bornons-nous ici à l'examen des rapports nécessaires et obligatoires entre les élus locaux, les préfets, les ministres et les administrations préfectorales et centrales.

Pratiquement, dans l'administration d'une ville, il ne passe guère de jour sans qu'un maire ne soit conduit à être en rapport avec le préfet, plus précisément avec l'administration préfectorale : services de l'équipement, de l'enseignement, de la santé, etc.

Qu'il s'agisse du budget, d'une subvention, d'un emprunt, d'un marché, d'un permis de construire, de l'ouverture ou de la fermeture d'une classe, etc., le maire ne peut rien faire sans avoir le feu vert des pouvoirs de tutelle.

Telle est la règle ; telle est la loi. Un maire communiste, pas plus qu'un autre, ne peut échapper à la loi.

Dès lors, on nous pose souvent la question suivante :

« Une commune administrée par des élus communistes n'est-elle pas pénalisée par les pouvoirs de tutelle en raison même de son étiquette politique ? »

Cette question est tout à fait pertinente. Il est naturel de penser que le préfet, représentant le pouvoir central — et nommé par lui — ne cherchera guère à favoriser une ville dont les élus combattent la politique qu'il est chargé de défendre et d'appliquer. De là à penser que dans l'intérêt d'une ville il est préférable de n'en pas confier la gestion à des communistes, il n'y a qu'un pas.

La question est donc sérieuse et grave.

Que le gouvernement favorise les municipalités « bien pensantes » ne me paraît guère contestable. On a souvent cité à l'occasion de telle élection la manne tombée providentiellement sur telle ou telle commune. Je pense en particulier aux subventions assez exceptionnelles et substantielles qui auraient été versées à différentes communes de la circonscription de M. Chirac au moment des élections législatives de 1973...

Que le préfet donne la priorité à telle commune sur telle autre pour réaliser tel ou tel équipement, c'est souvent le cas... au détriment des municipalités communistes.

Il n'est donc pas douteux que les municipalités communistes aient à surmonter bien des difficultés de caractère discriminatoire.

Mais, faut-il pour autant considérer que les intérêts d'une ville sont mis en cause quand celle-ci est administrée par un maire communiste ? Très honnêtement et très franchement je réponds non. Et l'explication est assez simple : les élus communistes s'attachent à compenser par une activité décuplée la « cote d'amour » (politique) qu'ils n'ont pas, par définition. Ils multiplient les démarches, seuls ou à la tête de leurs administrés, en conséquence les équipements divers — écoles, crèches, terrains de sports, gymnases, construction de logements — d'une municipalité communiste ne le cèdent en rien aux équipements réalisés dans une commune bien en cour... tout au contraire !

C'est ainsi, pour ne prendre qu'un exemple précis, qu'à chaque rentrée scolaire, on ferme plutôt moins de classes dans une commune communiste que dans d'autres et pour cette raison que les élus communistes veillent, avec les enseignants, avec les parents d'élèves et engagent avec eux les actions nécessaires.

Quelles difficultés discriminatoires encore ? Dans les services administratifs de la préfecture ou des ministères ? Là encore, très honnêtement et très franchement, non.

Tous les fonctionnaires ne sont pas des adversaires politiques même au plus haut niveau... La gauche, sur le nom de François Mitterrand, a obtenu tout près de 50 % des voix à la dernière élection présidentielle. Il y a donc un Français sur deux qui est plus favorable à nos idées qu'à celles du gouvernement, et les élus de l'opposition ne manquent pas d'alliés ici et là. Nous sommes — je ne dévoile aucun secret d'Etat — généralement assez bien renseignés sur ce qui se passe dans l'« Administration ». C'est un facteur non négligeable qui explique pourquoi les « hommes du pouvoir », ministres ou préfets, ne font pas toujours tout ce qu'ils voudraient faire. Sans compter — et je tiens à le souligner — que dans leur immense majorité les fonctionnaires sont jaloux de leur indépendance et qu'ils ont une grande conscience professionnelle. Ils supportent difficilement les interventions de caractère purement politique. Ils ne se laissent guère influencer par l'autorité politique centrale. Certains même voient en nous — et à juste titre — le moyen de débloquer leurs aptitudes.

Quand nos dossiers arrivent dans les services de la préfecture ou d'un ministère, ils sont étudiés sérieusement... et comme nous nous faisons toujours une règle absolue de les élaborer avec le plus grand soin, ils sont rarement rejetés. Les municipalités communistes ont d'ailleurs la réputation de toujours présenter des dossiers solides.

Quant aux relations personnelles que nous entretenons avec le préfet et avec les chefs de service, elles sont toujours très correctes. Il fut un temps — pas si lointain — où pour un maire communiste le préfet était l'ennemi n° 1, l'ennemi public bien sûr. Il le demeure en tant que représentant du pouvoir que nous combattons, mais les relations ont un peu changé. On se rencontre, on parle... on voit même quelquefois le préfet participer à une cérémonie dans une ville communiste. C'était inconcevable il y a 10 ou 20 ans. Evolution de notre part ? Ce n'est pas douteux et je tiens cette évolution pour fort heureuse, mais jusqu'où faut-il aller ?

Lorsque le préfet organise une réception, une inauguration, il nous invite — le plus souvent — et le plus souvent aussi nous répondons à cette invitation. Par contre, le préfet n'est pas invité aux réceptions que nous organisons ou à l'inauguration d'un groupe scolaire, d'un gymnase. On me demande quelquefois si ce n'est pas une erreur, non sur le plan des convenances mais sur le plan politique ?

« Pourquoi tout d'abord, nous dit-on, vouloir soustraire le préfet aux yeux de la population des villes que vous administrez ? Il est l'exécutant dans le département, de la politique du gouvernement, nommé par le gouvernement, lequel est l'émanation de la majorité électorale — sinon réelle — du pays. La population devrait pouvoir le rencontrer dans sa ville... non pas pour se prosterner sur son passage mais pour l'entretenir des différentes questions, des difficultés, des responsabilités...

« D'autre part, dans la mesure où le préfet participe dans les autres communes — dans toutes les autres communes — à différentes manifestations et pas dans les vôtres, ne contribuez-vous pas à accréditer l'idée que les municipalités communistes sont en marge ? qu'elles ne participent pas loyalement au jeu démocratique ? Imaginons l'inverse. Quelle serait l'attitude d'un préfet communiste à l'égard de municipalités de droite ? Comment peut-on vous croire quand vous affirmez qu'il n'y aurait aucune discrimination à l'égard de ces municipalités ? Au moment où le parti communiste français apparaît de plus en plus comme un parti de gouvernement, au moment où le temps n'est plus guère éloigné où il participera effectivement à la direction des affaires du pays, ne conviendrait-il pas d'être plus attentifs à de pareils détails ? » Ce ne sont d'ailleurs pas des détails aux yeux de beaucoup et aux yeux précisément de ceux que nous voulons gagner au grand rassemblement démocratique de ce pays.

Enfin, c'est une question de simple bon sens. « Qu'avez-vous à craindre ou à perdre à la présence du préfet à telle inauguration ? Sa présence ne vous empêcherait nullement de dire ce que vous dites en son absence ; de situer les responsabilités du gouvernement. »

Cette question n'est pas une affaire d'Etat ; elle est affaire de principe sans doute, mais aussi de conjoncture.

Je pense pour ma part que si les relations entre un maire communiste et le préfet sont obligatoires, elles ne doivent jamais accréditer l'idée d'une collaboration de classe, d'une collaboration sur le plan politique.

Au moment précisément où Giscard d'Estaing multiplie les appels du pied en direction de l'opposition pour l'inviter à dépasser « les choix idéologiques », toute démarche susceptible de prêter le flanc à cette manœuvre doit être évitée pour ne pas sombrer dans les marécages de l'Union nationale.

Nous combattons résolument la politique gouvernementale. Il s'agit donc de n'entretenir aucune confusion mais de créer, au contraire, dans la clarté, les conditions les meilleures au développement de la lutte pour combattre cette politique.

Quoi qu'il en soit, ce n'est là qu'un aspect de la contradiction qui oppose le maire communiste aux pouvoirs de tutelle, cette contradiction que l'on retrouve sur *un tout autre plan* avec le personnel communal.

CHAPITRE IX

Communiste et ...
patron du personnel communal

I L n'est pas rare que les employés communaux
appellent le maire « le patron »... ce qui traduit
une réalité de fait. Le maire est en effet responsable
du personnel communal. « Il nomme et révoque les
employés. » La formule pourrait laisser supposer que
le maire règne sur le personnel comme un patron
privé. La réalité est différente. Si la décision du maire
est toujours indispensable pour recruter les employés
communaux, il en va tout autrement en matière de
sanctions et, à plus forte raison, de révocation, tout
autrement en matière de rémunération.

La loi du 5 avril 1884 précisait simplement : « Le
maire nomme aux emplois communaux. » Par la
suite, un statut a été élaboré : ébauché en 1930, il
prend corps avec le statut général de la fonction
publique en 1946 ; l'ordonnance du 4 février 1959 ;
les lois du 29 mai 1952, du 22 mars 1957 et du
10 juillet 1965, qui constituent le titre IV du code
de l'administration communale, forment la base du
statut actuel.

Ce statut limite considérablement les pouvoirs du
maire qui ne s'exercent, ni pour la détermination

des emplois ni pour les traitements des employés.

En matière de recrutement, le maire ne peut faire des nominations que dans le cadre des emplois déterminés par les pouvoirs de tutelle. Le Conseil municipal peut toujours demander par délibération la création de tel ou tel emploi, mais la décision appartient au préfet.

En matière de sanction, le maire peut traduire un agent devant le conseil de discipline communal (3 conseillers municipaux et 3 représentants du personnel) et proposer des sanctions mineures : mise à pied jusqu'à un maximum de 5 jours. Au-delà, il est tenu de traduire l'agent devant le conseil de discipline intercommunal. Cet agent peut se pourvoir devant le conseil départemental.

Il existe, d'autre part, une commission nationale paritaire qui siège à Paris sous la présidence d'un haut fonctionnaire. C'est cette commission qui a donné une définition officielle des emplois communaux. Elle a institué un système de notation !... mais elle n'est pas parvenue à faire accepter qu'à responsabilité égale, les agents des collectivités locales soient rémunérés comme ceux de l'Etat.

Les employés communaux sont donc des fonctionnaires diminués par rapport aux fonctionnaires de l'Etat.

Notons à titre de pure information qu'un secrétaire général dans une ville de 45 000 habitants, à l'indice 985 (fin de carrière), gagne 6 400 francs par mois. Un chef de service, à l'indice 453, 4 020,40 francs. Un commis, après 10 ans de service, 2 100 francs. Une femme de ménage dans les écoles 1 427,56 francs (indice 167). Un cantonnier (indice 193) 1 649,89 francs.

L'éventail est très large et le nombre de catégories considérable.

Précisons enfin que dans une ville comme Choisy, nous employons un peu plus de 500 employés.

Voilà donc un militant communiste à la tête d'une entreprise de plus de 500 employés. Par définition, le militant est du côté des employés pour défendre leurs droits, leurs revendications, mais il est en même temps le garant des intérêts de la commune et veille à ce titre à ce que les employés fassent leur travail... C'est une position qui n'est pas toujours très confortable.

D'une manière générale, tout se passe bien. En quinze ans de mandat, je n'ai jamais connu de situation explosive. En revanche, les conflits particuliers ne sont pas rares... ; et la tâche de l'adjoint responsable du personnel est toujours ingrate et difficile.

Soulignons tout d'abord que, dans son ensemble, le personnel communal remplit sa tâche avec une grande conscience professionnelle.

D'où peuvent donc venir les conflits et comment se règlent-ils ? La commission du personnel — paritaire représentants des élus et représentants du personnel — se réunit très régulièrement pour examiner toutes les questions soulevées, soit par le syndicat — ou les syndicats — soit par les employés.

Les revendications posées sont de deux ordres : celles qui relèvent du statut et pour lesquelles nous n'avons aucun pouvoir de décision ; celles qui relèvent directement de la municipalité : titularisation, avantages particuliers, conditions de travail. La commission soumet ses conclusions au Conseil municipal qui tranche. Il est rare que cette décision soit contraire aux conclusions de la commission, si bien qu'en définitive, il n'y a jamais de conflit à proprement parler. En tout cas, il n'y a jamais eu d'arrêt de travail sur des questions relevant de l'autorité de la municipalité.

En revanche, sur les questions de traitements, de catégories, d'indices, les grèves du personnel communal sont assez fréquentes. Il est tout à fait normal que dans les municipalités communistes, comme dans les autres, le personnel communal mène son combat revendicatif comme il l'entend, et il est tout à fait normal que le maire communiste soutienne ce combat.

Restent les sanctions... Pour un militant communiste, prendre une sanction contre un employé, c'est toujours une mesure contre nature. Le rôle d'un militant ouvrier, c'est de défendre l'ouvrier, même si celui-ci fait une bêtise. Il y a pourtant des limites à tout. La sanction commence toujours par des observations orales ; la mise à pied ou la révocation n'étant proposées par la municipalité qu'en désespoir de cause et pour des fautes précises et répétées.

J'ai dit, il y a un instant, que dans son ensemble, le personnel remplissait très consciencieusement sa tâche et c'est vrai. Malheureusement, nous sommes quelquefois contraints de recruter des employés qui ne sont guère qualifiés pour leur emploi. Pourquoi alors les recruter ? Il arrive que nécessité fasse loi. Par exemple, nous nous trouvons devant des cas sociaux dramatiques : le mari est décédé, la femme se retrouve seule pour élever ses enfants ; un ouvrier a été licencié et il y a des enfants à la maison, etc. Cas prioritaires ou non ? Et si le nouvel employé s'avère incapable... ou porté sur la boisson. Bien sûr, c'est un risque à prendre. Alors il arrive que parmi les employés, il y en ait qui ne soient ni des modèles de sobriété ni des exemples d'honnêteté... et le drame

c'est que dès lors qu'on a vu un employé communal
en équilibre incertain, on a vite fait de généraliser.
Ah ! les employés communaux ! Cette généralisation
est injuste et c'est pourquoi nous nous efforçons de
ne laisser aucune faute grave sans sanction.

A la limite donc, on est conduit à agir comme un
patron. Apparemment du moins, car aucune sanction
n'est jamais prise sans l'avis du syndicat ; c'est une
nuance capitale.

Enfin, je voudrais ajouter qu'à cette contradiction
qui oppose le maire à l'ensemble des employés, s'en
ajoute une autre : c'est celle qui oppose le maire
communiste aux employés communistes. L'un comme
les autres sont communistes, mais le premier est
chargé, par le Conseil municipal, de diriger les affaires
de la commune et les autres sont les employés du
premier. Il y aurait donc deux catégories de communistes... ceux qui « dirigent »... et ceux qui « exécutent ». Ceux qui « exécutent » ne s'accommodent
pas toujours de ce rôle et ceux qui « dirigent »
n'acceptent guère que ceux qui « exécutent » veuil-
lent participer à la direction des affaires au même
titre que les élus. Et pourquoi y aurait-il des communistes majeurs et des communistes mineurs ? Il ne
peut pas y en avoir ; il ne doit pas y en avoir. Il y a
seulement des communistes qui sont placés à des
postes différents, chacun restant à son poste. La réalité
est moins simple que mon affirmation. Comment, en
effet, les employés communistes pourraient-ils ne
pas se sentir responsables du travail à la municipalité ? Par leurs fonctions, ils sont à même de constater les grains de sable qui enrayent la machine, les
erreurs, les faux pas... Il est donc tout à fait normal
qu'ils puissent régulièrement soumettre leurs observations aux élus.

Il peut arriver aussi que des employés, parce qu'ils sont communistes, se croient au-dessus de la loi commune... c'est vraiment exceptionnel. En tout cas, les employés communistes ne bénéficient jamais d'aucun privilège. Je tiens à le souligner pour répondre à des idées que l'on répand volontiers : « Pour " entrer à la commune ", comme on dit, il faut être communiste. » Non. C'est faux.

Qu'il y ait des employés communistes dans une municipalité communiste, c'est évident ; qu'il y en ait davantage que dans une municipalité U.D.R., c'est non moins évident. Est-ce à dire que nous pratiquons une politique de discrimination politique systématique, que les employés non communistes sont persécutés ? Tenez, lorsque notre municipalité a été élue à Choisy en 1959, elle succédait à une municipalité d'union de centre droit. Parmi les employés communaux, il y avait un communiste, plus précisément une communiste, la seule qui ait pu « résister » à la politique de l'ancienne municipalité en matière de personnel. Tous les autres employés communistes avaient disparu les uns après les autres...

Il n'en a pas été de même avec notre municipalité. *Aucun employé* n'a jamais été inquiété pour ses opinions politiques. Le secrétaire général de l'ancienne municipalité est resté secrétaire général jusqu'à sa retraite ; le secrétaire général adjoint est devenu secrétaire général ; toutes les promotions de chefs de service se sont faites normalement. A la tête de ces différents services administratifs : secrétaire général, secrétaire générale adjointe, directrice des services administratifs, chef du service du personnel, de l'aide sociale, des affaires générales, il n'y a pas un seul communiste. Et sur l'ensemble du per-

sonnel il y a aujourd'hui plus de non-communistes
que de communistes.

C'est un fait.

La discrimination, la vengeance politique sont
étrangères à notre démarche... il faut le savoir. Mais
pour faire pièce à tout ce que l'on raconte volontiers
sur les bastions que sont les mairies communistes,
il faudra le répéter souvent.

CHAPITRE X

Quel intérêt le P. C.
a-t-il à diriger les municipalités?

ARGUANT de la contradiction fondamentale et des
différentes contradictions dans lesquelles doit
nécessairement évoluer un maire communiste, on
nous demande souvent si le jeu en vaut la chandelle,
quand on ne nous accuse pas d'avoir renié l'essence
révolutionnaire de notre parti. Du P.S.U. aux groupements gauchistes, ce sont les mêmes qui viennent
ensuite nous demander l'octroi de salles de permanences ou de réunions... leurs contradictions ne sont
guère différentes de celles que nous connaissons
nous-mêmes. A partir du moment où l'on décrète
comme un principe intangible que l'on ne compose
pas avec le pouvoir en place... il faut aller jusqu'au
bout...

Voici un souvenir récent et précis. Lors des dernières élections municipales, deux « jeunes révolu-
tionnaires » ont mené une ardente campagne sur le
thème : « Le parti communiste s'embourgeoise, on ne
compose pas avec le pouvoir des monopoles : refusez
de participer au scrutin. » Ils ne furent guère suivis.
Mais, eux, ne votèrent pas... ce qui ne les empêcha
pas, deux mois après les élections, de venir me trou-

ver, l'un pour un logement, l'autre pour une
démarche au ministère de l'Education nationale. Le
premier est aujourd'hui membre du parti communiste ; le second, installé en province, a participé très
activement à la campagne de l'élection présidentielle
aux côtés des communistes.

Cet exemple sert trop bien ma démonstration pour
qu'il ne soit pas contesté. Je l'accorde volontiers et
ne cherche nullement à en tirer des conclusions
générales. C'est un exemple simplement.

Pour revenir à mon exemple, je voudrais préciser
que l'argument qui a fait le plus réfléchir mes deux
jeunes camarades a été celui-ci : peut-on être indiffé-
rent, quand on s'affirme révolutionnaire, à l'étiquette
politique d'une municipalité ? Peut-il vous être indif-
férent que votre ville soit administrée par des communistes ou par des U.D.R. ? Comment peut-on renvoyer
dos à dos un communiste et un U.D.R. ?

Que l'instauration du socialisme passe par la
conquête préalable des municipalités, personne ne le
prétend. Mais la conquête des municipalités peut-elle
aider à faire avancer nos idées, peut-elle aider le
parti communiste à changer et à renforcer son
influence ? cela paraît absolument incontestable.

Quel intérêt a donc le parti communiste à diriger
des municipalités ? Je répondrai simplement : le
même intérêt que n'importe quelle formation politique. On sait l'acharnement que mettent toutes les
formations politiques à conquérir les municipalités ;
les campagnes électorales communales sont toujours
les plus passionnées, les plus ardentes.

L'intérêt est évident.

On pense généralement d'abord à l'intérêt matériel ; ce n'est certainement pas le plus important,
mais pourquoi le nier ? Non pas comme on le dit

souvent que « la place soit bonne ». Pour un communiste, le maire est rétribué comme un autre militant
— je l'ai déjà précisé — mais il y a toutes les facilités
qu'une municipalité communiste accorde volontiers
aux organisations démocratiques : sièges, salles de permanence, organisation de congrès, d'assises diverses,
locales, départementales, voire nationales. Ce sont
des avantages importants qui permettent aux différentes formations démocratiques de développer leurs
activités dans les meilleures conditions. On observera peut-être que ces facilités procèdent d'une certaine discrimination politique. A quoi je répondrai
qu'il n'y a pas plus de discrimination dans nos municipalités que dans les municipalités U.D.R. Il y en
a même le plus souvent beaucoup moins.

Intérêt matériel donc, mais ce n'est pas l'essentiel.
Je ne relève même pas ces accusations dont nous
sommes quelquefois l'objet et selon lesquelles les
caisses de la commune seraient mises à la disposition
du parti ; comme si un maire disposait des finances
locales dans une caisse ou un coffre-fort dans lesquels
on pourrait puiser ; cela est ridicule.

Mais l'intérêt matériel n'est pas essentiel ; l'essentiel est de caractère politique.

L'intérêt premier réside dans la possibilité qu'offre
une municipalité de concrétiser notre politique au
service des intérêts de la population. De la concrétiser
certes dans les limites des pouvoirs des élus, et non
pas intégralement. Mais même dans ces limites, le
caractère social en particulier de notre politique
peut trouver une expression non négligeable.

Une municipalité constitue un moyen privilégié
de faire connaître nos idées, de confronter nos solutions avec les réalités de la vie ; un moyen privilégié
de liaison étroite, vivante et permanente avec la

population ; un moyen privilégié pour l'action, pour organiser la lutte.

C'est aussi un moyen privilégié pour faire connaître les hommes — et par là même, la politique qu'ils représentent.

Pour les communistes, c'est peut-être encore plus important que pour les autres et c'est pour cette raison que les communistes, plus que les autres, font généralement l'objet de préventions, de préjugés défavorables de la part de ceux qui ne les connaissent pas. On n'en est plus à l'homme au couteau entre les dents... n'empêche que pour beaucoup de gens, le communiste demeure un type assez mystérieux, l'homme d'un parti un peu inquiétant... « Vous savez, ce n'est pas que j'ai quoi que ce soit contre les communistes, mais quand même !... »

Mon élection de maire a été pour moi à ce sujet l'occasion d'une véritable découverte. J'ai connu des employés communaux littéralement terrorisés à la pensée qu'ils allaient être placés sous « la coupe d'un maire communiste ».

On m'a rapporté des réflexions comme celle-ci ; d'une petite fille de 10 ans : « Moi, si le maire veut m'embrasser pour la distribution des prix à l'école, je lui donne une claque. » Pensez donc, embrassée par un communiste ! Il ne faut pas demander ce que cette petite fille avait pu entendre chez elle à propos des communistes... ne mangeaient-ils pas leurs enfants en Russie... J'exagère ? A peine.

Quelque temps après l'élection, je suis venu habiter dans une cité H.L.M. du centre de la ville. Mon arrivée dans cette cité fut diversement appréciée par l'ensemble des locataires, car, si nous y avions quelques amis, nous y avions beaucoup d'adversaires et quelques-uns irréductibles ; anticommunistes viscéra-

lement. Et puis, le temps a passé ; on nous a vus
vivre, ma femme enseignante, mes enfants... maintenant mes petits-enfants et il n'y a plus ces visages
fermés à mon passage ; plus un seul. Les enfants se
précipitent quand je traverse la cour : « Bonjour
monsieur Dupuy, bonjour monsieur le maire... » et
les enfants deviennent grands.

Je ne dis pas que tout le monde est devenu communiste dans la cité, non pas et loin de là, mais l'hosti-
lité a totalement disparu. Il en est de même pour
l'ensemble de la ville. Les adversaires politiques
restent sans doute des adversaires politiques, mais
l'ensemble de la population voit désormais les communistes sous un jour différent ; c'est un résultat non
négligeable et qui tient aux relations personnelles
qui s'établissent obligatoirement entre le maire, les
conseillers municipaux et la population.

Sur le même plan, le fait d'être élu pour un
communiste permet de faire la démonstration que
les communistes sont capables, comme les autres,
d'administrer une ville et quelquefois mieux que les
autres. La population peut comparer ; avec l'ancienne
municipalité, avec des municipalités voisines dirigées
par l'U.D.R. La comparaison n'est pas à notre désa-
vantage ; elle aide à faire accepter l'idée, à la faire
germer, qu'au gouvernement s'il y avait des communistes, ça n'irait pas plus mal, ça irait même certainement beaucoup mieux !

Enfin, l'expérience que nous faisons à Choisy d'une
municipalité d'union de la gauche, depuis 16 ans,
ne manque pas d'intérêt, ni pour le parti communiste, ni pour le parti socialiste, ni pour les radicaux
et les autres démocrates qui travaillent avec nous ;
ni pour la population.

Pour nous, communistes, l'expérience est incontes-

tablement enrichissante. Notre politique est fondée
sur l'union de la gauche. Cette union, nous la vivons
depuis quinze ans. Elle a été scellée sur un programme de gestion municipale, sur des engagements
réciproques. Nous les respectons mutuellement, ce
qui veut dire que les communistes ne sont pas seuls
maîtres à bord ; il faut travailler, élaborer, décider,
avec les autres. Car si nous avons été élus sur un
programme commun de gestion des affaires de la
commune, à chaque pas nous avons à résoudre des
problèmes qui ne figurent pas dans ce programme.
Il faut donc discuter et non pas mettre les autres
devant le fait accompli.

C'est une école ; une véritable école de l'apprentissage de l'union et une école difficile. Il est habituel
de penser que la tendance naturelle des communistes
c'est de considérer qu'ils ont en toute chose raison ;
mais c'est aussi une tendance naturelle chez les
autres ; on reconnaît volontiers que le parti communiste a évolué depuis quelques années ; qu'il est plus
ouvert, plus compréhensif. C'est vrai. Des pas importants ont été faits dans la voie du dialogue et il est
naturel de considérer que plus les contacts se multi-
plieront, plus profonde sera notre évolution. La
dialectique est ici comme en toute chose, inéluctable.

Mais revenons à notre expérience. Depuis 16 ans,
elle se déroule convenablement ; ce n'est donc pas
une simple combinaison électorale, un coup de tête
ou un coup de foudre, mais une liaison sérieuse avec
un véritable contrat de mariage.

La preuve est faite que l'union peut se faire ;
qu'elle peut durer. Est-ce à dire que nul nuage n'a
jamais assombri le ciel de cette union ? Evidemment
non. Il nous est arrivé de prendre des décisions sans
informer nos « alliés » ; il nous est arrivé de tirer

un peu la couverture à nous et il est arrivé que nos
amis en conçoivent quelque humeur fort légitime-
ment. Mais il est arrivé aussi à nos « alliés » de tirer
la couverture à eux et de faire de la démagogie.
Faut-il en conclure que dans le ménage le plus uni,
il y a toujours quelques querelles ?... Ce serait peut-
être s'en tirer à trop bon compte et c'est pourquoi
je voudrais essayer de dégager les enseignements que
je tire de notre expérience.

Tout d'abord, les forces politiques représentées
ne sont pas égales ; le parti communiste représente
plus de 50 % des voix, le parti socialiste un peu
moins de 15 %. Le parti communiste a 20 élus, le
parti socialiste 7. Non seulement la proportion est
correcte, mais le parti socialiste est nettement avan-
tagé. Je précise même que compte tenu du rapport
des forces sur le plan local, rien ne nous obligeait
à faire une liste commune avec les socialistes. Nous
n'avons été inspirés que par une démarche unitaire,
par le souci de contribuer à développer l'union de
la gauche. Le parti socialiste n'en reste pas moins
minoritaire ; notre union ne repose donc pas sur des
bases égalitaires et elle ne peut pas reposer sur des
bases égalitaires (la situation est exactement la
même dans des municipalités à dominante socialiste).
Dès lors, le rôle essentiel est joué par les élus communistes, comme dans telle autre municipalité il est
joué par les élus socialistes. Les uns ou les autres
risquent d'apparaître comme une force d'appoint :
ce sont des « alliés »... ou des « otages »... selon qu'on
en parle avec sympathie ou avec défiance.

La question est sérieuse car elle peut freiner le
développement de l'union. Dans les cas où les communistes sont minoritaires dans des municipalités
d'union, on n'en parle guère. En revanche, là où

les socialistes et les radicaux de gauche sont minoritaires dans une municipalité communiste, on parle
tout de suite d'otages et il peut arriver que pour
éviter d'apparaître comme des otages, des minorités
alliées aient tendance à jouer le rôle de minorités
d'opposition.

Il est toujours tentant pour une minorité de
partager avec la majorité tout ce qui est « positif »
dans la gestion de la municipalité, mais de se démar-
quer dès qu'il s'agit de décisions impopulaires ou de
faire de la surenchère.

Il est tout à fait normal et légitime qu'au sein de
l'union, chaque formation conserve son originalité,
ses caractéristiques. L'union ne signifie pas la fusion ;
elle ne signifie pas non plus l'absorption.

Que donc sur telle ou telle question il n'y ait pas
accord n'a rien d'anormal ; qu'il y ait discussion,
débat, ne peut que contribuer à faire la clarté et si,
même, à la limite, il n'y a pas vote unanime, c'est
bien la meilleure preuve que l'union n'est pas un
monument monolithique.

Mais autre chose est de faire de la démagogie...

Allons plus loin. Les élus communistes ont toujours le souci de renforcer l'audience de leur parti
en s'appuyant sur les réalisations au sein de la municipalité. Quoi de plus naturel et comment nous le
reprocher ? Mais que les élus socialistes aient le même
souci, quoi aussi de plus naturel et comment le leur
reprocher ?

Faut-il pour autant entrer en concurrence sinon
en conflit ? Et pourquoi plutôt ne pas rivaliser
d'émulation ? L'autorité et l'efficacité de l'union ne
peuvent que gagner au renforcement de nos deux
formations, à la condition toutefois — et c'est évidemment très important — que chacun de nous ait le

souci de gagner là où nous ne pénétrons pas encore et non pas dans la zone d'influence de l'autre... Dans la mesure où les socialistes voudraient « prendre » chez nous, nous ne pourrions pas l'accepter car affaiblir le parti communiste, c'est non seulement affaiblir l'union de la gauche, mais c'est porter un coup à l'essor et aux conquêtes du mouvement ouvrier. Rappelons-nous « 1936 », la « Libération », avec l'essor des libertés et les conquêtes sociales ; rappelons-nous aussi « 1939 » : les libertés et les conquêtes sociales remises en cause. Aujourd'hui comme hier, le poids du parti communiste français est un élément déterminant dans la vie politique française.

Cette précision apportée, il reste que la partie est plus facile pour nous, communistes, là où nous sommes les plus forts et qu'elle est plus difficile pour nous, là où les socialistes sont majoritaires.

Je ne vois guère comment on pourrait échapper à cette règle. En tout cas, ce qui est capital, c'est de jouer le jeu franchement, loyalement, sans arrière-pensée. Est-ce donc si difficile ? Je crois pouvoir affirmer qu'en seize années d'expérience, pas une seule fois en tant que maire je n'ai encouru le reproche de la part des élus socialistes, radicaux et des autres démocrates d'avoir délibérément voulu cacher telle ou telle décision, telle ou telle démarche. Et pourtant, il n'y a pas si longtemps, un élu socialiste me disait : « Je me demande souvent quelle idée vous pouvez bien avoir derrière la tête »... à propos de tout et de rien ?

Et oui, plumer la volaille ! On l'a dit si souvent et répété qu'il en reste toujours quelque chose... peut-être est-il temps aujourd'hui de mettre un terme à cette vieille lune à moins qu'après avoir plumé la volaille socialiste on ne veuille plumer la volaille communiste !

Non ! Ne nous laissons pas plumer ni les uns ni les autres ; gardons soigneusement nos volailles, multiplions-les mais ne les plumons pas ; elles crèveraient et nous avec.

TROISIEME PARTIE

LES COMMUNES AU BORD DE LA FAILLITE
LES FINANCES LOCALES

CHAPITRE XI

L'accroissement des besoins

C'EST un lieu commun que de dire que les besoins
des collectivités locales croissent au rythme du
progrès technique, de l'aspiration légitime des populations à vivre mieux, dans un cadre adapté aux
exigences de la vie moderne alors que les moyens
dont disposent les municipalités pour satisfaire ces
besoins évoluent à l'allure archaïque de la diligence.
Entre les besoins et les moyens, l'écart s'est creusé
chaque année plus profondément pour atteindre
aujourd'hui le seuil critique : la situation financière
des communes est devenue dramatique. « Les communes sont au bord de la faillite », c'est le cri
d'alarme que vient de lancer l'Association des Maires
des grandes villes de France.

Comment en est-on arrivé là et pourquoi ?

Il convient tout d'abord de préciser que le champ
d'intervention d'une municipalité est considérable ;
tant par la diversité des domaines sur lesquels il
s'exerce que par l'ampleur des proportions que
prennent aujourd'hui ces différents domaines. Ce

sont tous les aspects de la vie des citoyens qui sont
en cause.

Citons, dans l'ordre alphabétique :

Aide sociale. — Handicapés, personnes dont les
ressources sont insuffisantes, personnes âgées, femmes
seules, chômeurs, grévistes, immigrés, familles nombreuses.

Culture. — Centre culturel, théâtre, maison de la
culture, bibliothèques, discothèques, conservatoires
de musique, de danse, peinture, animation de la vie
artistique, expositions.

Enfance. — Crèches, garderies, centres aérés mater-
nels et primaires, colonies de vacances, bibliothèques
enfantines.

Environnement. — Espaces verts, plantations, jardins publics, salubrité, sécurité, enlèvement des
ordures ménagères, lutte contre l'incendie.

Equipements municipaux. — Hôtel de ville, ate-
liers, garage.

Emplois. — Vie économique, création d'emplois,
implantation de zones industrielles, commerces,
soutien au commerce local, marchés...

Enseignement. — Constructions, écoles mater-
nelles, primaires, C.E.S., C.E.T., lycées..., entretien
et dépenses de fonctionnement, cours du soir, insti-
tuts médico-pédagogiques, médico-professionnels,
centre médico-psychopédagogique, restaurants scolaires (la cantine !), classes de neige, classes de mer,
classes de campagne.

Fêtes et cérémonies publiques.

Habitat. — Logements sociaux pour les familles,
pour les jeunes, pour les personnes âgées, pour les
travailleurs étrangers, rénovation urbaine.

Jeunesse. — Club de jeunes, centres de vacances.

Jumelages. — Avec des villes étrangères.

Santé publique. — Dispensaires, hôpitaux, centre de prévention de soins, bains-douches...

Sociétés locales. — Aide aux multiples sociétés locales : culturelles, sportives, sociales...

Sports et éducation physique. — Construction et entretien des terrains de sports, stades, gymnases, piscines, école de sports, contrôle médical.

Voirie - réseaux divers. — Entretien de la voirie communale, création de voies nouvelles, éclairage, signalisation lumineuse, alimentation en eau, gaz, électricité, égouts...

Cette énumération — même si elle est incomplète — donne une idée de l'ampleur du champ dans lequel s'exercent les interventions de la commune.

La part de chacun de ces postes est très variable ; mais il convient de souligner :

1) Que la vie dans la cité est faite de tous ces postes et de tous ces postes *à la fois* et que telle question qui peut sembler mineure au regard de l'ensemble est capitale pour ceux qu'elle concerne directement.

2) Que les besoins, que j'appellerai pour simplifier classiques, s'accroissent régulièrement et inexorablement.

3) Que de nouveaux besoins apparaissent continuellement qui appellent de nouvelles réalisations, de nouvelles activités, donc de nouvelles dépenses.

Comment faire face à ces besoins ? De quels moyens disposent les communes pour y répondre ? Comment se comporte l'Etat en ce domaine ? Telles sont les questions posées.

Pour s'y retrouver, il me semble nécessaire de partir du budget de la commune pour essayer ensuite de dégager les caractéristiques essentielles de la fiscalité communale et, en partculier, sa complexité et son caractère archaïque, les transferts de charge et l'insuffisance des ressources, l'aggravation enfin de l'injustice fiscale.

CHAPITRE XII

Le budget de la commune

F<small>AIRE</small> face aux besoins d'une commune, à l'accroissement de ces besoins et à des besoins nouveaux
quand l'Etat réduit son aide et impose des charges
de plus en plus lourdes — et même des charges
nouvelles — relève de la quadrature du cercle. C'est
pourtant dans ces conditions que le Conseil municipal doit élaborer et voter le budget de la commune.

Le budget d'une commune comporte comme tout
budget des dépenses et des recettes ; dépenses et
recettes doivent être obligatoirement en équilibre.

C'est tout simple... aussi simple pour une commune
que pour un ménage de travailleurs... La difficulté
commençant dans l'un et l'autre cas quand il faut
installer les dépenses dans le lit de Procuste... Mais
n'anticipons pas.

Le budget constitue le document financier essentiel d'une commune ; il représente l'acte le plus
important du Conseil municipal.

Au début de chaque année, le Conseil municipal
est tenu de voter le budget pour l'année en cours
— c'est le *budget primitif*. Mais comme en cours
d'année il peut intervenir — et il intervient tou-

jours — des événements imprévus, les recettes et les dépenses du budget primitif peuvent s'en trouver affectées. C'est pourquoi, avant la fin de l'année considérée, le Conseil municipal est appelé à voter un *budget supplémentaire* ou *budget additionnel* dont le rôle est de rétablir l'équilibre du budget primitif rompu par les imprévus de la réalité (dépenses nouvelles, hausses des prix, dépenses non consommées, crédits normaux).

Enfin, l'exercice terminé, le Conseil municipal se prononce sur la manière dont les prévisions — budget primitif et budget supplémentaire — ont été réalisées. C'est le vote du compte administratif du maire. Le maire est tenu de quitter la séance pour laisser délibérer le Conseil municipal en toute liberté.

Sans entrer dans le détail de l'élaboration de ces trois documents, essayons de dégager les caractéristiques essentielles du budget communal qui comporte deux sections :

La section ordinaire appelée encore *section de fonctionnement* qui recouvre, comme son nom l'indique, tous les secteurs de fonctionnement de l'activité municipale (personnel, entretien, activités diverses : enseignement, sports, culture, aide sociale, etc.).

La section d'investissement qui porte en gros sur les équipements.

Ces deux sections s'équilibrent chacune en dépenses et en recettes.

Voyons donc en quoi consistent les dépenses et les recettes du budget communal.

I. — Les dépenses

Le code municipal distingue les dépenses obligatoires et les dépenses facultatives.

a) Les dépenses obligatoires : l'article 185 du code de l'administration communale donne la liste de ces dépenses. Précisons seulement les plus importantes : le personnel, l'entretien (chauffage, éclairage), le remboursement des emprunts.

b) Les dépenses facultatives : ce sont les dépenses qui sont votées à l'initiative des conseils municipaux sous la triple réserve :
— qu'elles présentent un intérêt communal,
— qu'elles ne soient pas interdites par la loi,
— que la commune possède les crédits nécessaires pour les engager.
Parmi ces dépenses, on peut citer : certaines dépenses d'enseignement : classes de neige, de mer ou de campagne, prix et récompenses... ; les colonies de vacances, les centres aérés, les garderies ; l'action sociale, sportive, culturelle ; les subventions aux sociétés locales ; les espaces verts ; les fêtes, cérémonies publiques, etc.
La distinction entre dépenses obligatoires et dépenses facultatives peut appeler de nombreuses observations. J'en retiendrai deux. Premièrement cette distinction est tout à fait arbitraire. Rien dans le code municipal n'oblige une commune à organiser des classes de neige, des colonies de vacances, à créer des terrains et des salles de sports, à animer des activités culturelles... Qui en pâtira ? Les enfants ; et tout spécialement les garçons et les filles issus des milieux

les plus modestes. S'il n'y a pas d'école de musique, les enfants des milieux favorisés pourront toujours bénéficier de cours privés ; les autres n'apprendront jamais la musique.

La deuxième observation portera sur le fait que le volume des dépenses obligatoires a pris de telles dimensions qu'il absorbe l'essentiel des recettes... et qu'il ne reste plus, pour les dépenses dont les municipalités conservent l'initiative, que des moyens très restreints. On peut évaluer à plus de 80 % le montant des dépenses obligatoires ; il reste donc moins de 20 % des recettes pour les dépenses facultatives. La part d'initiative laissée aux élus locaux est donc très faible, faute de moyens. On mesure à travers ces chiffres à quel point les libertés communales, car c'est de cela qu'il s'agit, sont limitées.

Voyons donc maintenant ces moyens.

II. — Les recettes

Le code de l'administration communale est particulièrement copieux en matière de recettes possibles.

Il comporte quatre chapitres : 1) Dispositions générales ; 2) Contributions et taxes ; 3) Subventions ; 4) Avances et emprunts. Ces quatre chapitres comprennent 80 articles... sans compter les renvois.

Quatre-vingts sources de recettes, c'est considérable. Heureux maires qui disposent d'un pareil éventail de ressources ! ! ! Les réalités, hélas, sont loin de tenir les promesses du code. Voyons ces réalités.

Une analyse des recettes nous conduirait à entrer dans des détails auxquels aucun lecteur ne résisterait et ce n'est pas l'objet de cet ouvrage.

Je me bornerai donc à quelques observations pour caractériser les trois grands volets suivants : les recettes fiscales, les subventions, les emprunts.

A. — LES RECETTES FISCALES

Elles comprennent :

1° *Les recettes fiscales directes :*
— la patente ;
— la taxe d'habitation ;
— la taxe foncière sur les propriétés bâties ;
— la taxe foncière sur les propriétés non bâties.
Sont maintenues en outre :
— la taxe sur la valeur locative des locaux professionnels ;
— la taxe d'enlèvement des ordures ménagères.

2° *Les recettes fiscales indirectes :*
Impôts obligatoires
— taxe sur les spectacles ;
— taxe additionnelle aux droits d'enregistrement ;
— taxe locale d'équipement ;
— licence des débits de boissons.
Impôts facultatifs
— taxe sur le chauffage et l'éclairage par l'électricité ;
— taxe de publicité ;
— taxe de séjour ;
— taxe sur les chasses louées ;
— taxe sur l'exploitation ou la location de terrains de plaisance, de tennis, de golf ;
— taxe de péage.

B. — Les subventions

Elles comprennent : les subventions sans affectation spéciale et les subventions d'équipement.

1° *La subvention sans affectation spéciale* (dite de fonctionnement) est versée chaque année ; elle comprend en gros une somme fixe par habitant : 0,50 franc — oui, 0,50 franc par habitant ! — et une majoration calculée d'après le nombre d'enfants inscrits au 1er janvier de l'année précédente dans les écoles primaires, élémentaires, publiques et privées : 3 francs par élève dans les communes de 20 000 à 50 000 habitants.

2° *Les subventions d'équipement* qui sont accordées aux communes à titre de participation au financement de leurs travaux. Ces subventions sont attribuées jusqu'à épuisement des crédits budgétaires prévus à cet effet dans les différents ministères, ce qui en réduit considérablement la portée. De plus, elles ne sont obtenues qu'après des mois et le plus souvent des *années* de démarches, de présentation de dossiers, de modifications... et d'interventions de la population sous forme de pétitions, de délégations et de manifestations.

C. — Les emprunts

En raison de la faiblesse des autres ressources, les communes sont contraintes de plus en plus à avoir recours à l'emprunt. De ce fait, leur endettement s'accroît à un rythme rapide.

Prenant prétexte de cette situation, le gouvernement multiplie les entraves pour réduire les possibilités d'emprunts. C'est ainsi, notamment, que l'attribution de prêts de la Caisse des dépôts et consignations est subordonnée à la décision de subvention. Comme les subventions sont de plus en plus rares et réduites, les communes se trouvent doublement pénalisées.

Quant à la Caisse de l'aide à l'équipement des collectivités locales, elle ne joue qu'un rôle insignifiant.

Dans ces conditions, les communes doivent avoir recours aux banques et à diverses sociétés qui imposent des taux d'intérêts élevés (11,35 % contre 9,25 % à la Caisse des dépôts) et des durées d'amortissement réduites ; le montant des annuités est beaucoup plus élevé et pèse ainsi lourdement sur les budgets communaux.

CHAPITRE XIII

Un système complexe et archaïque

Pour les dépenses, c'est simple. Qu'il s'agisse des dépenses de fonctionnement ou d'investissement, on connaît toujours leur montant exact, même si la hausse constante des prix oblige à refaire souvent les calculs.

En revanche, du côté des recettes, il n'est pas toujours facile de s'y retrouver. Prenons deux exemples pour illustrer cette complexité : le versement représentatif de la taxe sur les salaires (V.R.T.S.) et la subvention de fonctionnement.

1. Le versement représentatif de la taxe sur les salaires (V.R.T.S.)

L'ancienne taxe locale a été remplacée en 1968 (loi du 31-12-1967) par le versement représentatif de la taxe sur les salaires. Comment qualifier cette recette ? Impôt ? Prestation ? Subvention ? On ne sait trop. C'est un versement qui est fait par l'Etat et qui représente 85 % du montant supposé de la taxe sur les salaires (je dis bien « supposé » car...

l'impôt sur les salaires a été supprimé par la loi du 29 novembre 1968).

Quant à la manière dont le versement à chaque commune est calculé, je n'entrerai pas dans le détail par crainte de décourager le lecteur... je préciserai simplement que le montant de cette taxe est réparti en trois masses : le fonds d'action locale (F.A.L.) qui reçoit de 3 à 5 % des ressources à répartir ; et deux masses qui croissent en sens inverse : la première qui doit croître jusqu'à atteindre 100 % en 1988, la seconde décroître de 95 % à 0 % dans le même temps.

J'ajoute que les communes de la région parisienne bénéficient d'un régime particulier et disposent d'un « Fonds d'égalisation des charges ».

En gros, retenons que le produit de ce versement représente une attribution garantie égale à 85 % du montant de la taxe locale encaissée en 1967 et qu'il est modulé en fonction de l'impôt payé par les ménages (plus cet impôt est lourd et plus le versement est important).

Plus précisément, voici les explications fournies par le ministre de l'Intérieur en juillet 1974 :

« Aux termes de la loi n° 66-10 du 6 janvier 1966, les sommes à provenir du versement représentatif de la taxe sur les salaires sont, après prélèvement de la dotation de fonds d'action locale, partagées en deux fractions réparties, la première, sous la forme d'attribution de garantie et, la seconde, au prorata des impôts sur les ménages levés par les diverses parties prenantes au cours de l'année précédant celle de la répartition. Le montant annuel des attributions de garantie est obtenu en multipliant par la valeur de point retenue pour l'année considérée, le plus élevé des deux termes suivants : montant majoré de

8 % des recettes encaissées par la collectivité durant l'année 1967, au titre de l'ancienne taxe locale sur le chiffre d'affaires et des taxes assimilées ; produit du chiffre de la population par une somme fixée à 53 francs pour les communes et à 22,50 francs pour les départements. S'agissant des communes, la population prise en considération pour le calcul de ce deuxième terme est la population totale, laquelle englobe la population municipale et la population comptée à part. Selon le paragraphe 5 de l'article 40 de la loi précitée du 6 janvier 1966, s'y ajoute, lorsqu'il y a lieu, la population fictive dont les communes peuvent bénéficier en application du décret n° 64-255 du 16 mars 1964. Depuis l'année 1969, la fraction du versement représentatif de la taxe sur les salaires réservée aux attributions de garantie décroît de cinq points par an, tandis qu'augmente simultanément du même nombre de points la fraction allant aux attributions fondées sur le montant des impôts supportés par les ménages. Ces impôts, dont la définition a été donnée par le décret n° 67-863 du 29 septembre 1967, sont ceux qui ont été payés par les contribuables de la commune, notamment au titre de la taxe foncière sur les propriétés bâties, de la taxe foncière sur les propriétés non bâties, de la taxe d'habitation et de la taxe d'enlèvement des ordures ménagères, que ces contribuables aient leur domicile ou une simple résidence dans la commune ou qu'ils y soient seulement propriétaires. »

Comprenne qui pourra !

2. *La subvention de fonctionnement*

J'ai déjà noté que le montant de cette subvention

s'élevait — si l'on peut dire — à 0,50 franc par habitant et qu'elle était majorée en fonction du nombre d'enfants inscrits dans les écoles primaires.

En réalité, la subvention de 0,50 franc par habitant est majorée ou minorée de 0,02 (pourquoi 0,02 ?) par centième de point de différence entre la valeur du centime de la commune pour 100 habitants et une moyenne de référence valable pour les communes de même catégorie de population et fixée chaque année par décret ministériel ! ! !

En vertu de ces savants calculs, une ville de 45 000 habitants a reçu en 1974 : 42 740 francs et 82 centimes (car il y a toujours des centimes !). On appelle ça une subvention de fonctionnement ! Mais pour faire fonctionner quoi ?

Ces deux exemples prouvent que « ces choses-là sont rudes... et qu'il faut, pour les comprendre, avoir fait ses études... ». Elles prouvent surtout que l'on s'ingénie à masquer des réalités fort simples : la réduction par tous les moyens des ressources des communes et l'injustice fiscale.

CHAPITRE XIV

Comment les communes subventionnent l'Etat

L'ACCROISSEMENT des besoins entraînant fatalement un accroissement des charges, il s'agit de savoir comment les collectivités locales peuvent faire face à cet accroissement ; il s'agit aussi de savoir comment se comporte l'Etat dans cette situation.

On pourrait tout naturellement penser que constatant ces charges nouvelles, l'Etat apporterait une aide nouvelle, car lui, dispose de ressources nouvelles, la T.V.A.[1] notamment. Or, c'est très exactement l'attitude inverse qu'il a adoptée, en application de ce principe maintes fois réaffirmé depuis 1958 : « Les dépenses d'intérêt local doivent être supportées par les collectivités locales. »

Même si l'on admet ce principe, la grande question est de savoir où commence et où finit l'intérêt local...

1. La taxe à la valeur ajoutée, impôt indirect prélevé lorsque les Français consomment leur revenu en achetant ce dont ils ont besoin pour vivre. La T.V.A. rapporte à l'Etat une quarantaine de milliards soit deux fois et demie ce que lui rapporte l'impôt sur le revenu des personnes physiques. Les communes paient la T.V.A. sur leurs achats et leurs équipements.

et, à la limite, on peut très bien arriver à cette conclusion que tout est d'intérêt local : les rues, la mairie, les écoles, les installations sportives, la police, les pompiers...

En tout cas, c'est en vertu de ce grand principe qu'à l'heure actuelle les communes ne reçoivent que 4,5 % des ressources fiscales de l'Etat alors qu'elles assument la charge de 63 % des équipements collectifs.

1. *Comment les communes subventionnent l'Etat*

Mieux, ou pis — c'est pis évidemment — le taux moyen des subventions pour l'ensemble des communes de France s'est élevé en 1971 à 13,3 % alors que le taux moyen de la T.V.A. atteignait 15 %. Or les communes paient la T.V.A., ce qui signifie que l'Etat réalise des bénéfices sur les travaux d'équipement des communes.

Prenons un exemple : la construction d'un gymnase. Le montant des travaux, en gros, s'est élevé à 3 millions de francs ; la subvention de l'Etat (forfaitaire) à 340 000 francs ; même pas 10 % de la dépense totale. (On est loin de la subvention de 20 à 50 % prévue dans les textes officiels.)

La commune a donc reçu 340 000 francs de l'Etat mais, dans le même temps, elle a versé par le biais de la T.V.A. près de 450 000 francs. Ce qui veut dire que pour construire ce gymnase, la commune a dû verser plus de 100 000 francs à l'Etat.

Cet exemple, qui a une portée générale, prouve que non seulement les subventions de l'Etat sont de plus en plus réduites mais encore que par le jeu de la T.V.A., ce sont les communes qui subventionnent

l'Etat pour pouvoir réaliser les équipements dont
elles ont besoin. C'est évidemment un comble que
dénoncent avec force tous les maires de France !...

2. *Transferts de charges officiels... et innocents*

La loi concernant les responsabilités réciproques
de l'Etat et des communes n'est pas toujours parfaitement explicite. L'Etat l'applique à sa manière en
procédant aux transferts qui sont passés dans les
mœurs — à défaut d'être toujours parfaitement prévus par la loi — et aux transferts non moins réels
mais pour lesquels l'Etat est parfaitement « innocent ».

Voyons d'abord ces transferts « innocents ». Ils
concernent les réalisations sociales, les équipements
publics pour lesquels une municipalité doit pallier la
carence totale de l'Etat. Voici un exemple : nous
avions à Choisy-le-Roi un vieux groupe scolaire dont
la vétusté appelait des réparations importantes. Nous
avons constitué un dossier pour demander une subvention. La réponse a été sans appel : pas de subvention pour des réparations, mêmes importantes.

« Mais si votre groupe scolaire est vraiment en
très mauvais état — c'était le cas —, faites un projet
de construction neuve et vous obtiendrez une
subvention. »

Ce projet fut élaboré et soumis aux autorités de
tutelle... Réponse : « Votre projet sera subventionné,
mais plus tard ; la situation de Choisy en matière de
construction scolaire n'est pas prioritaire. »

Nous avons organisé la protestation populaire ; des
élus, des parents d'élèves, des enseignants... mais
dans le même temps, le vieux groupe scolaire s'était

dangereusement dégradé ; la sécurité des enfants et des enseignants n'était plus assurée. Nous avons donc construit — entièrement — aux frais de la commune un nouveau groupe scolaire... Nous avons bien essayé, après coup, d'obtenir une aide, mais la réponse en pareil cas est bien connue : « Vous savez bien, Monsieur le maire, qu'une subvention ne peut être envisagée que sur un projet non sur une réalisation. » Ce qui revient à dire qu'une municipalité qui est en avance sur l'événement — en l'occurrence sur un événement qui aurait pu être tragique — est pénalisée.

Et voilà comment l'Etat procède à un transfert parfaitement innocent : « Nous n'avons pas refusé de vous aider monsieur le maire ; il fallait attendre... » Eh oui ! Attendre ! Qu'un plancher ou qu'un escalier se soit effondré sous les élèves...

Ces transferts-là, inavoués ou inavouables, n'entrent jamais dans aucune étude statistique. Ils sont pourtant loin d'être négligeables.

Quant aux transferts officiels, les maires les connaissent bien. Ils connaissent parfaitement ces charges que l'Etat leur impose : contribution à la construction des établissements d'enseignement secondaire, participation aux dépenses de voirie nationale, participation à la réalisation d'équipements décidés par l'État dans le cadre du plan, prélèvements appelés « contingents » (au titre de la police, de la justice, de la lutte contre l'incendie, des enseignements spéciaux).

L'ampleur de tous ces transferts de charges est considérable. Elle s'accroît chaque année dans des proportions proprement insupportables pour les communes.

C'est ainsi que le Vᵉ plan avait prévu que les

collectivités locales dépenseraient 983 millions de francs pour les constructions scolaires et l'Etat 2 527 millions.

Or, à la fin du V° plan, le rapporteur U.D.R. à l'Assemblée nationale constatait que les collectivités locales avaient effectivement dépensé 2 058 millions (contre 983 prévus) et l'Etat 1 676 millions (contre 2 527 prévus).

A ce rythme-là... il faut pourtant que les collectivités locales équilibrent leurs budgets. Malgré leur lutte permanente, elles n'ont guère d'autre choix que le recours à l'impôt local, cet impôt dont les maires savent pourtant qu'il aggrave l'injustice fiscale.

CHAPITRE XV

L'aggravation de l'injustice fiscale

LES subventions de l'Etat réduites, les emprunts plus chers et plus difficiles à contracter, le dernier recours pour les communes, c'est évidemment l'impôt et les taxes locales.

L'Etat accule les municipalités à se transformer en collecteurs d'impôts sans leur laisser la faculté de les répartir équitablement.

L'injustice du mode de calcul des impôts locaux est trop connue pour qu'il soit nécessaire d'y insister longuement. Prenons trois exemples : la mobilière, la patente, les tarifs des services publics.

1. La mobilière

Jusqu'à l'an dernier, le montant de la mobilière était calculé sur les bases de la « composition physique » du logement. Pour des logements identiques, les contribuables payaient des impôts identiques, sans tenir aucun compte *des ressources*.

Avec la nouvelle réforme, des contribuables verront leur base d'imposition augmentée dans des proportions très importantes en 4 ans (25 % en 1974). C'est ainsi, par exemple que la base d'imposition des contribuables habitant dans des logements H.L.M. sera six fois supérieure à celle des entreprises, des hôtels ou des châteaux. L'injustice demeure flagrante quand elle n'est pas aggravée.

2. *La patente*

Le montant de la patente était calculé sur la base de la surface du local commercial, de son emplacement et du nombre d'employés. Cet impôt vient d'être modifié par l'assemblée nationale. Désormais la patente est remplacée par la « taxe professionnelle ». Les bases de calcul sont modifiées, ce qui ne veut pas dire que le montant de la taxe sera changé ni que la nouvelle loi apportera des ressources supplémentaires aux communes. La nouvelle loi prévoit, par ailleurs, un transfert des plus grosses taxes vers les plus petites, et un transfert de la taxe professionnelle vers la contribution mobilière aboutissant à des hausses très importantes de la taxe d'habitation. Ce sont donc les consommateurs et les ménages qui vont faire les frais de cette loi.

3. *Les tarifs des services publics*

L'orientation politique du gouvernement en la matière est bien connue : il faut faire payer à la population tous les services rendus au prix coûtant : l'enlèvement des ordures ménagères, le déversement à l'égout, l'eau, le stationnement... et aussi les cantines scolaires, les colonies de vacances, les activités

culturelles, etc. L'injustice d'une pareille orientation n'est pas évidente : apparemment, il semble
normal de faire payer le prix de revient des services
rendus et de ne le faire payer qu'aux seuls usagers...

En réalité, le système est injuste.

Prenons d'abord l'exemple de l'enlèvement des
ordures ménagères. Le montant de la dépense s'est
élevé, en 1974, à 2 800 000 francs pour la commune
de Choisy. Si l'on fait payer cette dépense intégralement par les contribuables, la charge sera très
lourde pour chacun et aussi lourde pour celui qui
gagne 1 500 francs par mois que pour celui qui en
gagne le triple ou le quadruple. En revanche, si
l'on fait payer la moitié de la dépense aux usagers
et que l'autre moitié est répartie sous forme d'impôt,
l'injustice sera moins grande car, alors, les grosses
sociétés paieront une partie non négligeable de cette
dépense.

De la même manière, le résultat est tout différent
selon que l'on fait payer aux sportifs les frais de
fonctionnement, d'entretien, et même d'amortissement des équipements sportifs ou que l'on répartit
l'essentiel de ces charges sous forme d'impôt.

Les conclusions de cette analyse sommaire des
finances locales sont celles de la quasi-unanimité
des maires de France.

La fiscalité locale est foncièrement injuste et ina-
daptée aux besoins des communes. Les transferts de
charges sont devenus littéralement insupportables.
Le fait que les communes soient tenues de payer la
T.V.A. constitue un véritable scandale.

Tous les maires de France — quelles que soient
leurs opinions politiques — reconnaissent, ouverte-
ment ou non, que la cote d'alerte est dépassée, que
le seuil de rupture est atteint.

Mais alors, pourquoi le système est-il maintenu ? Et que peut-on faire pour obtenir les changements nécessaires ?

Ce sera l'objet du chapitre consacré aux propositions relatives à une politique municipale démocratique.

QUATRIEME PARTIE

POUR UNE GESTION MUNICIPALE
DEMOCRATIQUE

CHAPITRE XVI

La conquête des libertés communales

L'HISTOIRE des libertés communales se confond avec la longue lutte des citoyens pour la conquête des droits municipaux.

L'origine des communes est très ancienne et très complexe. Ce fut d'abord l'aspiration plus ou moins confuse à un mode d'organisation permettant au groupe d'assurer sa propre subsistance.

Les formes de cette organisation seront donc variables selon les moments historiques ou les particularités locales.

Déjà, au temps de la Gaule, s'esquissent certaines règles qui distinguent les « colons » des domaines seigneuriaux et les « libres », petits propriétaires « indépendants ». Ces derniers cherchent à se défendre et à s'entraider. Plus tard, on retrouve les « libres » et les « affranchis » sous le vocable de « vilains » avec un embryon d'organisation communautaire qui comporte les premières « chartes » octroyées par les seigneurs et quelquefois même par le roi.

Mais l'organisation municipale proprement dite n'apparaît que vers la fin du XIᵉ siècle. La bour-

geoisie des villes et des villages obtient des rois, des
seigneurs et des évêques les premiers droits municipaux à la suite de luttes souvent violentes auxquelles
le peuple participe. Ces luttes furent particulièrement sanglantes à Laon et à Vézelay.

En gros, on peut dire que trois types d'organisation
municipale vont apparaître :

La ville franche qui procède d'une désignation
corporatiste et qui établit une certaine coopération
entre le seigneur et la bourgeoisie ;

La ville de consulat qui a pris naissance dans le
Midi et dont les « conseils » sont élus par une partie
de la bourgeoisie citadine pour gérer collectivement
la cité (dans certaines limites) ;

La commune proprement dite qui comprend un
conseil de ville où siègent les échevins sous la présidence du maire, dont les pouvoirs sont fixés par
une charte.

La réalité de ces trois types d'organisation est souvent beaucoup plus confuse. Entre les échevins,
les « jurés », le maire, le prévôt des marchands ou
les syndics, les distinctions attestent d'une très grande
diversité des premières formes de l'organisation
municipale.

Cette diversité est le résultat de luttes multiples
entre les bourgeois et les seigneurs, les conjurations
et les municipalités bourgeoises, les différents clans
de la bourgeoisie...

Ces luttes furent toujours très sévères. La plus
célèbre est bien connue. C'est celle qui opposa à
Paris, en 1357, le prévôt des marchands Etienne Marcel au régent. Après l'assassinat d'Etienne Marcel,
la réaction de la royauté fut d'une rare violence.

Un peu plus tard, de 1380 à 1382, Amiens, Béziers,
Orléans, Troyes connaissent de grandes révoltes

municipales ; ces révoltes prennent le caractère de véritables insurrections à Agen, Angers, Marseille, Périgueux, Le Mans, Toulouse, Reims...

Tous ces combats contribuent à affirmer, à compléter, à préciser et à uniformiser l'organisation municipale.

Cette organisation demeure toutefois très diversifiée et il faudra attendre la Révolution de 1789 pour que soit défini le système communal.

C'est le 14 décembre 1789 que l'Assemblée nationale précise l'organisation municipale :

« Les municipalités actuellement subsistant en chaque ville, bourg, paroisse ou communauté sous le titre d'hôtel de ville, mairie, échevinat, consulat et, généralement, sous quelque titre et qualification que ce soit, sont supprimées et abolies. Le chef de tout corps municipal portera le nom de maire. Il y aura une municipalité en chaque ville. »

Dès lors, les 44 000 communes de France — grandes ou petites — connaîtront la même organisation.

Celle-ci va épouser fidèlement les différents régimes politiques. Les libertés communales vont s'épanouir avec la démocratie. Elles vont au contraire être limitées, voire étouffées par les régimes autoritaires.

C'est ainsi qu'après 1789, le Directoire va créer un centralisme par lequel le gouvernement sera représenté dans la plupart des instances locales.

Le Consulat va renforcer l'autoritarisme. Le maire est nommé par le consul dans les villes de plus de 5 000 habitants ; par le préfet dans les autres communes ; il détient le pouvoir exécutif. Les conseillers municipaux nommés par le préfet n'ont qu'un rôle consultatif ; ils peuvent donner des avis mais n'ont aucun pouvoir de décision.

Ce système napoléonien — défini par la constitution de l'an VII (loi du 28 pluviose — 17 février 1 800) — va subsister sous le premier Empire et sous la Restauration.

En 1831, sous Louis-Philippe « roi des Français », la bourgeoisie qu'exalte Guizot va jouer un rôle important dans la réorganisation du système municipal.

Le Conseil municipal sera désormais élu ; le maire sera choisi parmi les conseillers municipaux. Ce choix sera fait par le ministre de l'Intérieur pour les villes de plus de 5 000 habitants ; par le préfet pour les autres communes. L'élection du Conseil municipal marque certes un progrès ; il convient toutefois de préciser qu'il s'agit d'un suffrage censitaire réservé à la bourgeoisie. Les électeurs sont désignés parmi les citoyens qui payent le plus d'impôts ; ils ne représentent qu'un pourcentage très réduit de la population.

Quant aux pouvoirs du maire et du conseil municipal, ils demeurent soumis au contrôle des fonctionnaires du gouvernement.

En 1837, ces pouvoirs sont sensiblement augmentés mais ils restent soumis au contrôle préfectoral ; c'est à cette date que le préfet devient *autorité de tutelle*.

La constitution de 1848 marque un changement très important. Pour les communes de moins de 2 000 habitants, le conseil municipal est élu au suffrage universel. Dans les communes de moins de 6 000 habitants, le maire est élu par le conseil municipal — de même que les adjoints. Les fonctions respectives du maire et du conseil municipal sont précisées : le conseil municipal fixe la politique municipale ; le maire a la charge de son application.

Le coup d'Etat du 2 décembre 1851 met un terme

brutal à cette évolution. Le maire est à nouveau nommé (loi du 7 juillet 1852), les pouvoirs du conseil municipal sont très limités. L'arbitraire du second Empire réduit à néant les libertés communales. Pendant une vingtaine d'années, les communes vont connaître une longue nuit.

En 1871, l'élection du maire par le conseil municipal est rétablie dans les communes de moins de 20 000 habitants. Dans les grandes agglomérations, le maire est nommé par le gouvernement mais choisi au sein du conseil municipal.

C'est le temps où un formidable mouvement populaire secoue la capitale. Ce mouvement républicain, s'appuyant sur la classe ouvrière, va gouverner Paris durant 72 jours en proposant à la France un nouveau type d'Etat : *la Commune de Paris.*

Elu au suffrage universel sans aucune restriction, le Conseil de la Commune représente vraiment le peuple. Il s'est libéré du vieux dogme bourgeois de la séparation des pouvoirs. Il est à la fois organisme délibérant et législatif et organisme exécutif.

Les mandataires eux-mêmes doivent occuper un emploi, eux-mêmes faire exécuter leurs lois, eux-mêmes contrôler les résultats obtenus, eux-mêmes en répondre directement devant leurs électeurs.

Par ailleurs, la grande nouveauté du caractère démocratique de la Commune réside dans le fait qu'elle fait appel à la participation populaire. Sous les formes les plus diverses la Commune a encouragé la formation de nombreuses organisations de masse. Elle les a fait participer étroitement à son travail ; au travail de *ses* commissions. C'est ainsi, notamment, que les syndicats, les clubs de femmes, les jeunes ont joué un rôle non négligeable pendant toute la durée de la Commune.

A bien des égards, la Commune de Paris peut être considérée comme un exemple remarquable d'autonomie communale, un exemple de démocratie directe d'une richesse exceptionnelle.

Bien entendu, on ne saurait aujourd'hui reprendre purement et simplement cet exemple et le copier. Il a vu le jour dans des conditions historiques, politiques et sociales bien particulières. Ces conditions ne sont plus les mêmes aujourd'hui. Il y a pourtant beaucoup à prendre dans l'exemple de la Commune de Paris pour réaliser une véritable démocratie communale.

Et l'appréciation que portait Courbet, le 30 avril 1871, nous fera longtemps rêver :

« ... je suis dans l'enchantement. Paris est un vrai paradis ; point de police ; point de sottise ; point d'exaction d'aucune façon ; point de dispute. Paris va tout seul comme sur des roulettes. Il faudrait pouvoir rester toujours comme cela. En un mot, c'est un vrai ravissement ; tous ces corps d'Etat se sont établis en fédérations et s'appartiennent... »

Oui, point de police, point de sottise, point d'exaction d'aucune façon, point de dispute...

Quel maire n'a jamais fait ce rêve pour sa commune ?

L'écrasement de la Commune va entraîner un nouveau retour en arrière. Thiers va doter le département de la Seine d'un régime spécial : il y aura deux préfets : le préfet du département et le préfet de police. Le préfet de police disposant des pouvoirs qui en province appartiennent aux maires. Chaque arrondissement reçoit un maire nommé. Les maires de la banlieue sont dépossédés des pouvoirs de police.

Ce régime particulier à Paris et à la région pari-

sienne marqué du sceau de la pire réaction est encore
en vigueur aujourd'hui ! ! !

En 1874, on retrouve une situation parfaitement
analogue à celle des périodes les plus sombres du
Consulat et de l'Empire. Les maires sont à nouveau
nommés par le pouvoir central.

Sous la IIIe République, Mac Mahon s'attachera
à réduire les libertés communales mais, après le coup
d'Etat du 16 mai 1877, les élections législatives
donneront la victoire aux républicains et les libertés
municipales renaîtront de leurs cendres.

En 1882 (loi du 28 mars), le maire et ses adjoints
seront enfin élus par le conseil municipal dans toutes
les communes de France. Dès lors, les forces républicaines vont imposer un véritable statut du système
municipal qui trouvera son expression dans la loi
du 5 avril 1884, qui demeure le texte fondamental
de l'organisation communale.

Le conseil municipal est élu au suffrage universel.
Le nombre (toujours impair) de conseillers est fonction du chiffre de la population. Le maire et les
adjoints — qui constituent en droit administratif
la municipalité — sont élus par et parmi les conseil-
les communes de France. Dès lors, les forces républi-
ment pour six ans).

La loi de 1884 précise les pouvoirs du maire, des
adjoints et du conseil municipal ; les pouvoirs et
leurs limites. Quelques changements ont été appor-
tés à cette loi, notamment en 1926. Ils n'affectent
pas l'essentiel.

De 1939 à 1945, la loi de 1884 a été mise sous
l'éteignoir et ce fut à nouveau une longue nuit pour
les libertés communales. Des maires élus au suffrage universel furent révoqués ; certains furent
arrêtés, déportés, fusillés. Parmi eux, des commu-

nistes, beaucoup de communistes... Et une fois encore,
comme aux temps de l'Empire et de la pire réaction
conservatrice, les maires furent nommés dans les
communes de plus de 20 000 habitants, les libertés
communales anéanties.

A la Libération, la constitution de 1946 restaurait
les libertés locales.

***

Ce rappel historique, dans sa sécheresse, prouve
à l'évidence que la conquête des libertés communales
est un rude combat. De grandes luttes, d'énormes
sacrifices et beaucoup de sang jalonnent cette longue
route.

Chaque fois que dans notre histoire la réaction et
l'autoritarisme l'ont emporté, les libertés communales ont été anéanties ; chaque fois, au contraire,
que les forces démocratiques ont pu triompher, les
libertés communales ont connu un nouvel essor.

Les libertés communales ne sont donc pas établies
une fois pour toutes. Elles sont toujours remises en
question par les forces réactionnaires et conserva-
trices, par les forces de « l'ordre moral ».

Le combat pour les libertés communales est inséparable du combat général pour la démocratie, pour
la liberté. C'est la grande leçon de l'histoire.

Une leçon à ne pas oublier aujourd'hui.

CHAPITRE XVII

L'asphyxie financière des communes

LA constitution de 1946, qui a rétabli après la dernière guerre mondiale les libertés communales, avait ouvert la voie à un programme audacieux de rénovation des institutions locales dans le cadre d'un Etat moderne.

Malheureusement, ce programme n'a jamais été réalisé, et pour l'essentiel, la loi de 1884 demeure la grande charte du système communal actuel.

Cette charte représente le résultat de très longues luttes ; un acquis très important. Il convient, je crois, de ne pas l'oublier ; de ne pas oublier non plus les périodes sombres de l'Empire, de Thiers, de Mac Mahon et, plus près de nous, de Pétain.

De ne pas oublier que le renforcement, l'élargissement et l'enrichissement des libertés communales sont intimement liés à l'essor de la démocratie ; que notre combat pour les libertés communales est lié à notre lutte pour une démocratie avancée, à notre lutte pour le socialisme.

Mais la lutte pour les libertés communales est aussi un combat spécifique pour empêcher toute atteinte aux libertés existantes, un combat pied à pied pour arracher dans tel ou tel domaine, telle ou telle mesure démocratique.

Le gouvernement actuel, et ceux qui l'ont précédé depuis 1958, n'ont jamais accepté les acquis de la longue lutte des forces républicaines pour démocratiser le système communal. Même imparfait, ce système les gêne pour expliquer leur politique jusqu'au niveau des communes et c'est pourquoi, depuis 1958, en particulier, nous assistons à une offensive systématique contre les libertés locales.

Bien entendu, on ne remet pas en cause l'élection du maire et des adjoints par les conseillers municipaux, encore qu'il soit question de faire élire les maires directement par la population. On ne remet pas en cause les attributions des conseils et des municipalités, encore que là aussi les pouvoirs de tutelle soient plutôt renforcés qu'allégés. On ne s'en prend pas directement aux libertés communales. L'offensive est plus subtile.

Elle est d'abord indirecte et s'affirme par le biais de l'organisation de l'asphyxie financière des collectivités locales.

Le raisonnement politique est fort simple : le niveau atteint par les impôts d'Etat étant très élevé, le gouvernement ne peut guère envisager leur augmentation massive sans s'aliéner la grande masse des contribuables. Il s'agit donc de contraindre les collectivités locales à accroître leurs impôts, en rejetant sur elles des charges incombant naturellement à l'Etat, en réduisant les subventions et en rendant plus difficile le recours à l'emprunt.

Dans ces conditions, les collectivités locales se trouvent placées devant l'alternative suivante : ou bien augmenter considérablement les impôts communaux ou bien réduire les dépenses d'investissement et de fonctionnement.

Dans les deux cas, le gouvernement est gagnant ; dans les deux cas il atteint le but qu'il recherche : faire la preuve de « l'incapacité » des élus locaux, orienter le mécontentement populaire contre les élus locaux, dresser l'opinion publique contre les élus locaux.

Le transfert des charges d'Etat sur les collectivités locales constitue donc l'atteinte la plus grave aux libertés communales. C'est l'application cynique du vieux principe de la droite : « *frappez à la caisse* » pour étouffer les libertés démocratiques.

Il est bien évident, en effet, qu'il n'y a pas, qu'il ne peut y avoir de libertés si les *moyens* d'appliquer ou de faire respecter ces libertés n'existent pas.

Les élus locaux sont toujours *libres* de construire des écoles, des crèches, des logements, des gymnases, des terrains de sports ; *ils sont libres* de créer dans leur ville des espaces verts, *ils sont libres* d'organiser des centres aérés, des colonies de vacances, *ils sont libres* de multiplier les activités culturelles, *ils sont libres* d'organiser des fêtes, des réjouissances populaires.

Aucune loi, aucun décret autoritaire n'interdit ces libertés : il ne manque aux élus, répétons-le, que les moyens financiers de les exercer.

Ces moyens financiers étant réduits systématiquement par le gouvernement, cela revient à dire que les libertés communales sont systématiquement réduites ; cela revient à dire, comme l'écrivait déjà Edouard Herriot en 1920, que « faute de ressources, nous allons assister à un appauvrissement de la vie communale ».

Pourtant, et pour si efficace qu'elle soit, l'organisation de l'asphyxie financière des collectivités locales n'est qu'un aspect de l'offensive contre les libertés locales.

L'article 40 du code municipal affirme l'autonomie de gestion des communes : « Le conseil municipal règle par des délibérations les affaires de la commune. » Il s'agit là du principe fondamental de l'administration municipale qui reconnaît la compétence générale de l'assemblée locale.

En vertu de ce grand principe, toutes les délibérations prises par le conseil municipal pour gérer les affaires de la commune sont exécutoires... à condition que leur légalité soit reconnue et... à l'exception de celles qui exigent l'approbation de l'autorité supérieure.

C'est ici qu'intervient *la tutelle*. Elle s'exerce sur les actes de l'assemblée municipale (annulation, approbation, substitution) ; sur les personnes (suspension ou dissolution du conseil ; suspension ou proposition de révocation du maire) ; sur les agissements du magistrat municipal en tant qu'agent du pouvoir central (contrôle hiérarchique) ou de représentant de la commune, annulation ou suspension des arrêtés municipaux).

Le maire et le conseil municipal sont placés sous tutelle. La tutelle, dit le *Larousse,* est « une institution établie en vue de protéger les enfants mineurs et les interdits ». Les élus locaux traités comme des enfants mineurs ou des interdits ; on ne saurait mieux préciser les limites de leurs pouvoirs... Et même s'il ne faut pas confondre « tutelle civile » et « tutelle administrative », il n'en reste pas moins, comme le disait Tocqueville, que « le seul mot de tutelle est une injure ».

Le conseil municipal est donc libre de régler par

ses délibérations les affaires de la commune... à
condition que...

On a ici envie de parodier Beaumarchais pour
dire à la manière de Figaro :

> Pourvu que le conseil municipal ne parle ni
> de l'autorité ni du culte, ni de la politique, ni
> de la morale, ni des gens en place, ni des corps
> en crédit, ni de l'Opéra, ni des autres spectacles,
> ni de personne qui tienne à quelque chose.
> Le conseil municipal peut tout décider libre-
> ment, sous l'inspection de deux ou trois
> censeurs...

Les délibérations du conseil municipal sont exécutoires de plein droit quinze jours après le dépôt qui
en a été fait à la préfecture ou à la sous-préfecture.
Cependant sont soumis à « approbation de l'autorité
supérieure » :

● les budgets des communes dont le compte
administratif du dernier exercice clos fait apparaître
un déficit de la section de fonctionnement ou un
déficit global, compte tenu des restes à réaliser ;

● les délibérations des conseils municipaux sur
les objets suivants :

> — les emprunts lorsque le budget est soumis à
> approbation ;
> — les emprunts par voie de souscription
> publique, d'un montant supérieur à 250 000
> francs (soumis à autorisation du ministre de
> l'Economie et des Finances) ;
> — les emprunts à l'étranger ;
> — la garantie des emprunts, sauf ceux qui sont
> contractés par les établissements publics commu-
> naux ou intercommunaux, départementaux ou

interdépartementaux, ou les syndicats mixtes et
ceux qui sont contractés dans les conditions
fixées par arrêté du ministre de l'Intérieur, de
l'Economie et des Finances, de l'Equipement
et du Logement, par les organismes d'habitation
à loyer modéré ou les sociétés de crédit immo-
bilier ;
— les taxes dont la perception est autorisée par
le code général des impôts lorsque leur quotité
excède le maximum prévu ;
— les échelles de traitements du personnel
communal autres que celles prévues par arrêté
du ministre de l'Intérieur après avis du ministre
de l'Economie et des Finances et la commission
nationale paritaire ;
— l'intervention des communes dans le domaine
industriel et commercial, notamment leur participation dans les sociétés à moins que dans le
cas d'une exploitation en régie, le règlement
intérieur soit conforme à un règlement type
ou, dans le cas d'une concession, le cahier des
charges soit conforme à un cahier des charges
type.
— l'établissement ou les changements de foires
et marchés autres que les simples marchés
d'approvisionnement ;
— les délibérations soumises à approbation ou
autorisation en vertu de toute autre disposition
législative.

A condition donc de soumettre aux pouvoirs de
tutelle — c'est-à-dire au préfet — la plupart de ses
délibérations, le conseil municipal est libre... Tout
à fait libre...
Sait-on, par exemple, que pour faire placer un

simple panneau « Stop » au croisement dangereux
de deux rues, il faut obligatoirement recueillir au
préalable l'approbation préfectorale ! ! !

On pourrait multiplier les exemples qui illustrent
le caractère insupportable — et souvent proprement
stupide — de la « tutelle ».

Les auteurs de la constitution de 1946 l'avaient
bien compris qui avaient prévu de retirer au préfet
la qualité d'exécutif du conseil général et substi-
tuaient au mot de tutelle celui de contrôle... Non
seulement la constitution n'a pas été appliquée, mais
la tutelle s'est renforcée.

C'est ainsi, par exemple, que l'attribution de subventions est subordonnée à l'inscription des investissements correspondants dans le Plan national de
modernisation et d'équipement et que l'attribution
d'emprunts de la Caisse des dépôts est subordonnée
à une subvention d'Etat ; ce qui fait que les projets
non inscrits au Plan et cependant devenus indispensables ne bénéficient ni de subventions ni de prêts
de la Caisse des dépôts.

C'est ainsi que de nombreux organismes consulta-
tifs ont été créés où les élus sont toujours en minorité ; ces organismes, en fait, tendent à écarter les
élus des décisions les plus importantes.

C'est dans le même esprit qu'ont été créés le district urbain de la région parisienne et les communautés urbaines à Bordeaux, Lille, Lyon et
Strasbourg.

C'est dans le même esprit aussi qu'avait été élaboré le plan Fouchet de regroupement des communes. Ce plan tendait essentiellement :

1. A réduire à leur plus simple expression les
pouvoirs des conseils municipaux par dévolution
d'une partie de leurs compétences à leur exécutif

en même temps que l'essentiel de ces compétences était transféré à des organismes de regroupement ;

2. A restreindre les prérogatives des maires et à les « fonctionnariser » par regroupement massif des communes et par l'installation à l'échelon cantonal d'une technocratie dominée par le gouvernement ;

3. A réaliser une étape vers l'étatisation des fonctionnaires communaux sans apporter d'ailleurs une amélioration à leur situation ;

4. A regrouper les communes en quelque 3 500 « secteurs » ou « communautés ».

Cet avant-projet souleva l'opposition quasi unanime des maires et des élus locaux. Il dut être abandonné... pour être repris en 1968 par M. Marcellin, qui avait mis au point un nouveau texte « tenant compte des suggestions et des critiques suscitées par le projet Fouchet ».

Ce texte n'était guère meilleur et il sombra en même temps que fut rejetée la réforme régionale proposée par référendum en 1969.

En conclusion, l'offensive gouvernementale contre les libertés communales peut se résumer ainsi : nous assistons à la mise en place d'un mécanisme qui tend à faire jouer aux élus locaux le rôle d'un véritable écran entre leurs administrés et le pouvoir central.

Les élus locaux seraient réduits à un rôle de simples collecteurs d'impôts, de simple rouage de la machine fiscale ; ils devraient prendre la responsabilité des conséquences de la politique gouvernementale, la responsabilité de « gérer la pénurie », les décisions essentielles concernant la gestion de leur commune étant prises par des organismes non élus (préfet, communautés urbaines, district...).

Cette offensive remet en cause les principes essentiels sur lesquels repose, depuis 1789, la décentralisation administrative.

Elle ne peut donc que se heurter à l'opposition des élus locaux. Ils sont 500 000. 500 000 administrateurs, le plus souvent bénévoles, liés à la population dont ils connaissent bien les besoins et les aspirations.

Ils ne laisseront pas porter le coup de grâce aux libertés communales car ils savent que ce serait un coup mortel porté à la démocratie.

CHAPITRE XVIII

Pourquoi nous devons lutter

DE tout ce qui précède, il ressort à l'évidence :
1. que la démocratie communale est intimement liée à la nature du régime politique ;
2. que son essor a toujours été le résultat de grandes luttes.

Cette double constatation entraîne une double conclusion :
1. La lutte est toujours nécessaire pour conserver tout ce qu'il y a de positif et pour arracher pied à pied des améliorations ;
2. Les libertés communales, la véritable démocratie locale, ne peuvent exister que dans un régime réellement démocratique.

Il s'agit donc pour tous ceux — pour les élus locaux comme pour l'ensemble du peuple de France — qui aspirent à une véritable démocratie communale, de s'engager résolument dans le grand combat général pour imposer le changement démocratique du régime actuel ; pour imposer ce changement sur la base du Programme commun.

Dans le même temps et comme partie intégrante de ce combat général, il s'agit aussi de lutter pied à

pied pour empêcher les atteintes « ponctuelles » —
le mot est à la mode — aux libertés communales
actuelles, pour essayer d'arracher, malgré tout, des
progrès, même partiels.

Ce dernier aspect de la lutte est souvent contesté.
Souvent, on nous dit : « A quoi bon ? Nous n'arrive-
rons jamais à faire prévaloir nos solutions démocratiques dans le régime actuel. » C'est vrai, mais il
est vrai aussi que si nous abandonnions cette lutte,
le caractère autoritaire du système communal serait
encore renforcé et surtout — c'est un point capital
— les moyens d'action que nous offre le système
actuel seraient réduits, ce qui rendrait plus difficile
notre combat général.

Prenons l'exemple de l'enseignement. Il est
incontestable qu'une réforme démocratique de l'enseignement ne peut pas être réalisée par la majorité
actuelle ; cette réforme étant contraire à la nature
du régime de cette majorité. Faut-il pour autant
abandonner le combat pour essayer de limiter le
caractère ségrégationniste de la politique gouvernementale ? Faut-il abandonner notre lutte en faveur
de la gratuité scolaire ? notre lutte en faveur de la
titularisation des maîtres auxiliaires ? des rempla-
çants ? notre lutte pour empêcher la mise en place
des mesures de démantèlement de l'école maternelle ?

Si nous renoncions à cette lutte, nous laisserions
la voie ouverte à la mise en place d'un système qui
aggraverait encore le caractère de classe de l'enseignement. Il suffit d'entendre le propos de tel député
de la majorité déclarant à la tribune de l'Assemblée
nationale qu'il « faut mettre les enseignants au pas »
pour comprendre la gravité du danger.

Pour en revenir au système communal, il est bien
évident que si les élus locaux n'avaient fait front, le

projet Fouchet de regroupement des communes
serait aujourd'hui une réalité. Les quelque 38 000
communes de France auraient vécu, remplacées par
3 500 « communautés », par 3 500 « secteurs ».

Il est donc essentiel de faire front à chaque instant ; sur chaque point particulier. La Fédération
nationale des élus républicains a parfaitement compris cette nécessité. La résolution adoptée par son
congrès réuni au Havre les 28 et 31 mars 1974 a
posé avec force les questions essentielles sur lesquelles
le combat doit s'engager.

Voici ces questions :

« La situation des communes atteint un seuil de
gravité sans précédent. Ce ne sont ni la réforme de
la taxe mobilière et de l'impôt foncier en voie d'application, ni celles de la patente, qui peuvent y porter
remède. Avant tout, il faut aux collectivités locales
des ressources nouvelles. Elles ne peuvent résulter
que d'un transfert de ressources actuellement accapa-
rées par l'Etat. A cette fin, une loi redistribuant les
compétences, c'est-à-dire les charges et les moyens
financiers entre l'Etat, les régions, les départements
et les communes, doit être proposée au Parlement.
Pour tenir les engagements pris par les plus hautes
instances gouvernementales, il faut que ce projet de
loi soit déposé et examiné au cours de la session
parlementaire du printemps.

« Parallèlement, et pour permettre de faire face
aux besoins les plus urgents, le Congrès demande que
le gouvernement décide dans l'immédiat le remboursement de la T.V.A. aux collectivités locales et l'attribution en 1974 d'une indemnité compensatrice annu-
lant les conséquences sur les finances communales
de la hausse effrénée des prix. Cette subvention pourrait être aisément prélevée sur les plus-values fiscales

encaissées par l'Etat grâce à la T.V.A. et qui s'accroissent proportionnellement à ces hausses.

« Indépendamment de ces mesures immédiates, le Congrès rappelle les demandes dont la consultation nationale et les débats au congrès ont démontré le bien-fondé :

— « Versement aux collectivités locales de 100 % (au lieu de 85 %) du produit théorique de la taxe sur les salaires au taux en vigueur au 1er janvier 1968 ;

— « Affectation aux collectivités locales de 25 % du produit de la taxe prélevée sur les produits pétroliers ;

— « Nationalisation ou étatisation rapide de tous les C.E.G., C.E.S. et autres établissements scolaires de second degré avec prise en charge totale par l'Etat ;

— « Fixation de la participation de l'Etat à 85 % du coût réel des constructions scolaires du premier degré et la prise en charge totale des établissements du second degré qui doivent être construits en garantissant réellement la sécurité ;

— « Augmentation générale des crédits d'équipements collectifs pour l'action sociale, la santé, la protection de l'environnement et les équipements sportifs et culturels dans le cadre du doublement de l'enveloppe budgétaire attribuée au secrétariat d'Etat à la Jeunesse, aux Sports, aux Loisirs, au ministère de la Santé, et de l'affectation de 1 % minimum du budget de l'Etat au ministère des Affaires culturelles ;

— « Octroi de crédits plus importants pour le logement social avec rétablissement de l'ancien taux d'intérêt à 1 % en quarante-cinq ans :

— « Aide accrue de l'Etat en vue de la rénovation des communes et départements ruraux ;

— « Attribution d'une subvention compensatrice

pour pertes de recettes et d'une aide destinée à couvrir les dépenses consenties en matière d'accueil et d'environnement ;

— « Rétablissement des taux anciens de subvention, ceux-ci étant fixés par la loi, et versement dans les délais prévus ;

— « Déblocage de la subvention globale d'équipement promise depuis deux ans ;

— « Création d'une caisse d'aide à l'équipement des collectivités locales alimentée par leurs fonds libres et une dotation de l'Etat, ce qui lui permettrait d'accorder des prêts à long terme et à taux d'intérêt raisonnable ;

— « Nouvelle répartition des dépenses d'aide sociale qui devraient être prises en charge essentiellement par l'Etat ;

— « Transfert de crédit d'Etat aux régions ;

. — « En outre, le Congrès rappelle la nécessité de poursuivre la lutte pour la défense des libertés et de l'autonomie communales et pour doter les élus locaux d'un statut qui leur donne le temps et les moyens de remplir pleinement leur mission. »

Mais, encore une fois, et pour aussi nécessaire et importante que soit la lutte menée sur ces différentes questions, l'instauration d'une véritable politique municipale démocratique suppose un changement radical de la politique actuelle.

C'est aussi ce qu'a souligné, avec juste raison, la Fédération des élus républicains dans son appel aux élus de France lancé à la veille de l'élection présidentielle :

« L'avenir de nos communes passe nécessairement par un changement de politique. Notre fédération s'est réjouie, en son temps, que le Programme commun de la gauche ait repris un grand nombre de ses propositions, notamment : le remboursement de la T.V.A. aux communes ; la redistribution des ressources entre l'Etat et les collectivités locales au profit de ces dernières avec péréquation en faveur des communes les plus défavorisées ; une véritable réforme démocratique de la fiscalité locale ; la décentralisation et le renforcement de l'autonomie communale et départementale.

« Ces options répondent aux aspirations profondes maintes fois exprimées par les élus locaux qu'ils appartiennent à une formation politique ou qu'ils ne se réclament d'aucun parti.

« C'est pourquoi, la Fédération nationale des élus républicains, par-delà la diversité des familles qui la composent, est persuadée qu'en se prononçant pour F. Mitterrand, les élus locaux sauront saisir l'occasion offerte par l'élection présidentielle de contribuer à l'épanouissement de nos collectivités locales. »

CHAPITRE XIX

Les sept piliers d'une gestion démocratique

L E lecteur trouvera en annexes deux documents
qui peuvent être considérés comme la base d'une
politique municipale démocratique. Il s'agit, d'une
part du « Contrat communal » proposé par le parti
communiste français à la veille des élections municipales de 1971 et, d'autre part, du chapitre III du
Programme commun de gouvernement de la gauche
qui traite des collectivités locales.

Ces deux documents constituent un cadre ; ils
définissent les principes, les grandes lignes d'une
véritable démocratisation de la commune.

C'est à partir de là que je voudrais formuler
quelques réflexions. Mais, auparavant, je tiens à
souligner que la démocratisation communale sera
ce que les intéressés la feront ; les intéressés, c'est-à-
dire les *élus* et la *population*. Il conviendrait donc,
d'une part, de faire appel à l'expérience des 500 000
élus municipaux de France et, d'autre part, de
consulter toute la population.

On pourrait envisager une vaste consultation populaire sous la forme d'états généraux des communes
de France.

L'idée vaut ce qu'elle vaut... et je ne fais ici qu'apporter une contribution. Après avoir tout d'abord rêvé un peu...

La commune idéale

On peut commencer par rêver à la commune idéale. A la Commune de Paris : « Point de police, point de sottise, point d'exaction d'aucune façon, point de dispute »... ou bien encore à la manière de ce songe d'enfant : « J'ai rêvé d'un pays magique où l'alphabet fut interdit... »

Rêver, oui, pourquoi pas... mais il faudra bien revenir aux réalités et à cette réalité première que la commune constitue la cellule de base de la société, le mot cellule étant ici pris dans son sens biologique d'unité fondamentale de l'organisme vivant. C'est en effet dans la commune que l'on vit, c'est là que se posent tous les problèmes de la vie ; c'est là qu'ils doivent être résolus.

Précisons : vivre dans une commune, cela veut dire quoi ?

Y habiter d'abord. Donc avoir un logement. Pour y dormir : donc qu'il n'y ait pas de bruit. Pour y manger : donc pouvoir s'approvisionner. Pour y élever des enfants : donc pouvoir disposer de crèches, d'écoles... Pour y travailler : donc y trouver un emploi. Pour s'y distraire, faire du sport, se cultiver, etc. Y habiter, mais aussi pouvoir en sortir et pouvoir y entrer : donc disposer de transports, etc.

Bref, tous les problèmes de la vie sont posés là et c'est là qu'il faut leur apporter une solution : là

une école, là un terrain de sport, là une crèche, là
un autobus, là et pas ailleurs.

Comment atteindre ce but dans la commune ?
Par l'autogestion communale ? par l'autonomie communale ? Les formules ne manquent pas. Si l'on entend par autogestion communale le fait pour les
habitants de la cité de participer directement à la
gestion de leurs affaires, d'accord avec l'autogestion
communale. Si l'on entend par autonomie communale le refus de voir imposer aux collectivités locales
un contrôle systématique du pouvoir central, d'accord
avec l'autonomie communale.

Mais il n'en reste pas moins que si la commune
constitue la cellule de base de la vie de la société,
une unité géographique, démographique..., elle ne
saurait être considérée comme une oasis indépendante
et libre au milieu de l'univers ou comme un bocal
soigneusement insonorisé et aseptisé pour préserver
la vie de ses poissons, fussent-ils rouges !

La commune fait partie d'un tout, et même si
l'on veut ignorer ce tout, sa réalité s'imposera. Sans
parler des réalités évidentes que sont les transports,
les routes..., comment résoudre les problèmes financiers dans le cadre d'une stricte autogestion ? Auto-
gérer la commune ? Avec quels moyens financiers ?
Certaines communes, riches c'est vrai, pourront
peut-être trouver les ressources nécessaires à leur
gestion. Quelques-unes peut-être. Mais les autres ?

Laissons donc les querelles de vocabulaire ; ce qui
importe c'est d'assurer aux communes les conditions
d'une gestion, d'une vie réellement démocratique.

Quelles pourraient être ces conditions ? J'en déga-
gerai sept — il y en a sans doute d'autres — qui ont
trait aux problèmes suivants :

— Mode d'élection des conseils municipaux ;

— Responsabilité des élus ;
— Participation de la population ;
— Moyens financiers ;
— Urbanisme et cadre de vie ;
— Personnel communal ;
— Coopération intercommunale.

L'ordre de ces conditions peut être discuté ; on peut considérer notamment que les moyens financiers sont déterminants et que toutes les mesures démocratiques que l'on pourrait envisager n'auraient aucun sens si elles n'étaient accompagnées des dispositions financières adéquates. A quoi on peut répondre que si des moyens financiers sont donnés aux communes mais que le maire soit désigné par le pouvoir central, il n'y aura guère de progrès de la démocratie.

L'important n'est pas, à mon avis, une question d'ordre de classement. Aucune de ces conditions appliquée isolément n'assurera la démocratisation de la vie municipale ; elles doivent être toutes réunies.

Voyons-les donc dans l'ordre ou dans le désordre, comme on voudra :

I. — Le régime électoral
    des assemblées communales.

L'assemblée communale devrait refléter fidèlement la population ; les différents courants politiques devraient y être représentés. Le meilleur moyen d'assurer cette représentation c'est d'avoir recours au mode de scrutin proportionnel. C'est le seul qui soit juste, le seul qui permette de traduire fidèlement dans une assemblée les opinions du corps électoral, les opinions de l'ensemble de la population.

Pour combattre la « proportionnelle », on prétend que les assemblées municipales ainsi désignées seraient « ingouvernables » ; que cela mettrait en cause la stabilité des conseils municipaux ; qu'il en résulterait une source de conflits permanents.

Il est évident qu'un conseil municipal homogène est plus facile à « gouverner ». Il n'y a pas d'opposition, pas de notes discordantes (en principe), donc pas de conflits : c'est la mer de tranquillité !

Mais justement, n'y a-t-il pas là une source de danger ? Le danger sinon de s'endormir, du moins de ronronner un peu. Bien sûr dans la mesure où les élus ont une bonne liaison avec la population, dans leur quartier de résidence, dans les associations locales, ce danger peut être atténué.

Bien sûr aussi de nombreuses municipalités homogènes ont fait preuve de leur efficacité. Il n'en demeure pas moins que la présence au sein du conseil municipal de courants d'opinions diversifiés ne peut être qu'un élément supplémentaire de stimulation et même de contrôle.

Du choc des idées jaillit la lumière ; pourquoi ce principe fondamental de la dialectique ne serait-il pas valable dans les assemblées municipales ? Depuis plus de 15 ans, je vis l'expérience à Choisy d'un conseil municipal qui comprend avec les communistes, des socialistes, des radicaux et d'autres républicains sans parti. Il n'est pas contestable que les élus qui ne sont pas communistes ont joué un rôle enrichissant ; pour nous, communistes, et pour l'ensemble de la population.

J'entends bien qu'il s'agit là d'alliés ; et même si ces alliés ne sont pas des « otages » du parti communiste — et ils ne le sont pas, croyez-moi ! — ils n'en sont pas moins d'accord avec nous sur l'essentiel de la politique municipale. Il en irait différemment avec des élus d'opinions opposées aux nôtres. Que se passerait-il alors ? Ce qui se passe dans les conseils municipaux où il y a une minorité d'opposition. Beaucoup plus de discussions sur tout et quelquefois sur rien ? Sans doute. Un peu ou beaucoup de surenchère et de démagogie ? Certainement. Mais, au bout du compte, ne reste-t-il rien de positif ? les minorités d'opposition qui existent çà et là savent bien qu'elles ne sont jamais inutiles. Et même à l'Assemblée nationale, où les pouvoirs de l'opposition sont très réduits, peut-on dire pour autant que son activité soit inutile ?

Pour toutes ces raisons, la représentation proportionnelle apparaît bien comme le meilleur scrutin électoral pour élire les conseils municipaux ; comme il est le meilleur — le seul juste — pour *toutes* les consultations électorales.

II. — DES ÉLUS RESPONSABLES ET RÉVOCABLES.

Les pouvoirs de tutelle doivent être totalement remis en cause. Le mot tutelle devrait être banni et, du même coup, l'esprit et la lettre qui le caractérisent.

Mais, pour autant, on ne saurait envisager la suppression de tout lien entre la commune et le pouvoir central. Précisons tout d'abord à ce sujet que dans un régime démocratique, les pouvoirs du président du conseil général seront tout à fait différents de ce qu'ils sont aujourd'hui. Le président du conseil général assurera l'*exécution* des décisions du conseil général ; il assumera la responsabilité de la planification et du développement du département.

Dans ces conditions, les rapports entre la commune et le département prendront un caractère nouveau de collaboration et d'*efficacité* et le rôle du représentant du gouvernement sera réduit au contrôle *a posteriori* de la seule légalité des décisions.

C'est un point capital.

On a vu comment actuellement toutes les décisions importantes d'un conseil municipal sont soumises à l'approbation du préfet avant même d'être applicables. Cette pratique signifie au fond, et à la limite, que *c'est le préfet* et non le maire qui dirige les affaires de la commune. A tout le moins que le maire ne dirige les affaires de la commune que dans le cadre étroit, rigide, fixé par les pouvoirs de tutelle.

C'est ce cadre qu'il faut faire sauter. Les élus municipaux, le maire, doivent devenir maîtres de l'exécutif ; ils doivent assurer l'exécution des décisions du conseil municipal.

Leur responsabilité serait alors réelle et c'est pourquoi il conviendrait d'envisager qu'ils puissent être révoqués dans la mesure où ils n'assumeraient pas cette responsabilité.

Le code municipal actuel prévoit en son article 36 que :

« Tout membre du conseil municipal qui, sans motifs reconnus légitimés par le Conseil, a manqué à trois convocations successives, peut être, après avoir été admis à fournir ses explications, déclaré démissionnaire par le préfet, sauf recours dans les dix jours de la notification devant le tribunal administratif. »

Mais la responsabilité d'un élu ne devrait pas seulement s'apprécier en fonction d'absences répétées aux séances du conseil municipal. On peut être un conseiller municipal très assidu aux séances et ne jouer aucun rôle dans la gestion et l'animation de la commune. Il conviendrait donc de stipuler que les élus sont responsables *devant la population* et qu'ils sont *révocables* à tout moment par leur mandants.

Cette conception du rôle des élus suppose qu'ils aient effectivement les moyens de remplir correctement leur mandat, c'est-à-dire qu'ils puissent, d'une part, suivre des stages de formation organisés à leur intention et, d'autre part, consacrer le temps nécessaire à leur mandat, sans sacrifices financiers personnels. Cela signifie que tout conseiller municipal pourra bénéficier de la part de son employeur d'un certain nombre d'heures payées normalement pour remplir ses fonctions d'élu.

III. — LA PARTICIPATION DÉMOCRATIQUE DES CITOYENS À LA GESTION DES AFFAIRES DE LA COMMUNE.

Intéresser la population, la faire participer à la gestion des affaires de la commune, c'est-à-dire à ses propres affaires, constitue indéniablement un aspect décisif de la démocratisation de la vie de la Cité. Que chaque citoyen, que chaque citoyenne prenne en main ses propres destinées, voilà bien la base fondamentale de la démocratie.

Reste à faire qu'il en soit ainsi ; ainsi soit-il n'est-ce pas ? Malheureusement, il ne suffit pas de répéter *urbi et orbi :* « Il faut participer, il faut faire participer... » pour que la participation devienne pratique courante.

D'où viennent donc les difficultés ? Doù vient qu'une démarche qui semble toute naturelle soit si difficile à réaliser ? Comment se fait-il qu'on nous

dise si souvent : « Nous vous avons élus ; c'est donc
que nous avons confiance en vous ; nous nous en
remettons à vous pour gérer les affaires de la commune ; vous êtes plus qualifiés que nous, etc. » ?

Cette façon de s'en remettre à nous tient d'abord
aux conditions de vie des gens. Ils n'ont pas le temps.
Mais il y a aussi la vieille coutume de la délégation
du pouvoir à ses représentants élus. C'est que pendant
des siècles — à l'exception de la courte période de la
Commune de Paris — les citoyens ont estimé que
leur rôle s'arrêtait à l'élection. L'élection a représenté à l'origine, on l'a vu, un progrès considérable.
Mais le citoyen doit-il pour autant en conclure qu'il
n'a plus, dès lors, à se mêler des affaires... jusqu'aux
élections suivantes ? Son rôle s'est trouvé en fait
mutilé sinon perverti ; il s'agit de le rétablir dans
toute sa plénitude.

Comment ?

Il importe tout d'abord de préciser ce que l'on
entend par participation.

Dans la société actuelle, pour le gouvernement et
pour le patronat, la participation est conçue comme
un *moyen de persuasion,* comme une technique tendant à faire accepter aux intéressés des décisions
prises en dehors d'eux, et cela tout en leur donnant
l'illusion qu'ils ont participé à l'élaboration de ces
décisions.

Pour nous, il s'agit d'associer effectivement les
intéressés à l'*élaboration* des décisions, de les associer
aussi au *contrôle* de leur application.

Pour atteindre ce but, il faudrait d'abord, disent
les uns, changer les hommes. Les autres répondent :
il faudrait d'abord changer les structures.

Changer les hommes pour changer les structures,
changer les structures pour changer les hommes ;

c'est le vieux débat philosophique qui oppose les idéalistes aux matérialistes.

Je suis matérialiste et je dirai simplement que la participation demeurera un vœu pieux et un moyen de persuasion si des mesures précises et concrètes ne sont pas prises pour qu'elle puisse se réaliser pleinement.

Quelles pourraient être ces mesures ?

1. Une information systématique précise et concrète. Les citoyens doivent être informés par les moyens les plus divers de toutes les questions qui concernent la gestion des affaires de la cité : bulletin d'informations municipales, comptes rendus de mandat, conférences particulières sur un sujet donné, utilisation des moyens audio-visuels, visite des quartiers et dialogue sur place avec les habitants...

2. L'information ne doit pas être à sens unique ; il ne s'agit pas seulement de dire ce que fait ou ce que veut faire le Conseil, mais de provoquer le dialogue. Par exemple, le bulletin d'informations municipales doit être largement ouvert à chaque citoyen, à chaque organisation locale. Par exemple aussi, on peut organiser de véritables consultations populaires sur un sujet donné ; ou encore tenir dans chaque établissement communal — mairie, annexes, écoles, crèches, stades, terrains de sports, gymnases... — des registres ou des boîtes aux lettres destinés à recueillir les observations, les suggestions et les critiques de la population.

3. L'intérêt essentiel de la participation, c'est qu'elle puisse s'exercer d'abord au niveau de l'élaboration des décisions, qui prennent naissance au sein

des commissions municipales. C'est donc à ce niveau qu'un effort exceptionnel doit être fait. Chaque commission municipale devrait être doublée d'une large commission extra-municipale, ouverte à tous les citoyens qui s'intéressent à ses travaux ; ou, pour simplifier, chaque commission municipale pourrait tenir régulièrement des séances publiques.

4. Tout le travail municipal devrait s'appuyer sur des comités de quartier, sur des comités de défense des intérêts particuliers dans certaines circonstances et, enfin, sur les différentes associations locales : syndicats, locataires, jeunes, personnes âgées, sportifs, anciens combattants, sociétés culturelles, de défense de la nature, groupements confessionnels, etc. On pourrait imaginer, non seulement que ces sociétés soient officiellement consultées chaque fois qu'une décision à prendre concerne leurs adhérents, mais aussi que la municipalité réunisse régulièrement tous les responsables de ces sociétés pour faire un tour de table, recueillir les observations, les suggestions et les critiques.

5. Le vote du budget de la commune qui constitue l'acte le plus important du conseil municipal pour l'ensemble de la population devrait faire l'objet d'une préparation exceptionnelle systématique pour qu'il devienne vraiment le budget de la commune. Tous les moyens énumérés précédemment : informations, consultations, travail des commissions, comités de quartiers, associations et sociétés locales, devraient être mis en œuvre dans ce but.

6. La participation devrait s'exercer enfin d'une manière concrète au niveau, non seulement de l'éla-

boration des décisions, mais encore au niveau de la
réalisation et de l'utilisation, c'est-à-dire au niveau
du contrôle de l'application des décisions.

Par exemple, dans le cas de la construction d'un
groupe scolaire, la population — et en particulier
les parents d'élèves et les enseignants — devrait
d'abord être consultée sur le choix de l'emplacement
Elle devrait l'être ensuite lors de l'élaboration
du projet préparé par l'architecte, puis de sa
réalisation : participation de représentants des parents
d'élèves et des enseignants aux rendez-vous de chan-
tier pour assurer, avec l'architecte, et les élus, le
contrôle de l'exécution... Enfin, la réalisation termi-
née, les utilisateurs — enseignants, élèves (par l'intermédiaire de leurs parents) — devraient donner leur
opinion sur les conditions de fonctionnement.

Ces différentes mesures particulières — il peut y
en avoir d'autres — devraient contribuer à rendre
la participation plus effective. Elles devraient s'accompagner dès l'école d'une formation civique systématique sur les droits et sur les devoirs des citoyens.
Elles devraient, *surtout,* être inséparables de la condition exposée précédemment, rendant les élus responsables et *révocables.* La participation n'aurait en effet
aucun sens si les élus devaient continuer de rester
en place envers et contre tous.

IV. — DES MOYENS FINANCIERS PERMETTANT DE
      RÉPONDRE AUX BESOINS ET AUX ASPIRATIONS
      DE LA POPULATION.

On l'a dit et répété, aucune réforme démocratique
du système municipal n'aura de sens si la commune

ne dispose pas des moyens financiers lui permettant d'exercer librement ses pouvoirs sous le contrôle de la population tout entière.

Et tout d'abord, il faudrait une bonne fois pour toutes que chaque citoyen, que chaque contribuable sache ce qu'il a à payer et pourquoi il doit le payer. Au lieu de cela — je l'ai montré dans le chapitre sur les finances locales — personne n'y comprend rien, personne ne comprend pourquoi on paye plus ou moins d'impôts dans telle commune plutôt que dans telle autre. Pourquoi tel contribuable, pour un logement semblable, paye plus que son voisin, ni pourquoi il faut encore payer pour l'enlèvement des ordures ménagères, pour une enseigne lumineuse... Puis encore pour aller en classe de neige, en colonie de vacances, pour faire du sport, de la danse, de la musique... Pourquoi il faut payer les livres dans les écoles, les fournitures, la cantine... Heureux en définitive de ne plus payer l'impôt direct sur le sel !

Oui, je mélange tout : les impôts proprement dits, les taxes pour services rendus et les contributions pour participation à diverses activités, soi-disant facultatives. Mais, précisément, je mélange tout car tout cela est inséparable et fait un tout pour les contribuables.

On nous dit souvent : « Monsieur le maire, pour envoyer mon fils en vacances de neige pour les fêtes de Noël, on me demande trois cents francs. Mais j'ai déjà payé l'impôt sur le revenu, la cote mobilière ; à quoi sert donc cet argent que j'ai versé ? » Le raisonnement est implacable... et le résultat ne l'est pas moins qui fait que les enfants qui auraient le plus besoin d'aller en vacances n'y vont pas car leurs parents ne peuvent pas payer.

Alors, que faire ?

Le groupe communiste à l'Assemblée nationale a déposé le 17 décembre 1957 une proposition de loi portant sur la réforme de la fiscalité locale.

Après avoir souligné que « le système actuel des finances, locales est archaïque, injuste et souvent incompréhensible », la proposition de loi énonce quatre principes :

— tendre à l'autonomie financière des communes ;

— instituer un système de péréquation nationale ;

— donner aux collectivités locales les moyens de financer leurs travaux d'équipement ;

— transfert à l'Etat des dépenses qui lui incombent.

Ces principes restent parfaitement valables. Mon ami Waldeck l'Huiller, député-maire honoraire de Gennevilliers, dont la compétence et l'autorité en la matière sont bien connues, les a exposés en termes excellents :

« La réforme doit être simple et équitable. D'une application facilement contrôlable par les assujettis, la fiscalité nouvelle doit tenir compte de la progressivité qui est l'indice le plus sûr d'une fiscalité démocratique. Elle doit assurer en tout temps des ressources suffisantes aux collectivités locales, par une combinaison permettant de joindre à la stabilité des impôts réels — le foncier, la mobilière et la patente — la souplesse des impôts perçus pour le compte de l'Etat, impôts qui, eux, suivent la progression de l'activité économique. Enfin, elle ne doit laisser aux communes et aux départements que les dépenses dont les services et l'organisation sont confiés aux assemblées locales élues et sur lesquelles elles peuvent exercer un pouvoir d'action et de contrôle.

« En outre, en raison de la grande diversité des communes dont la plupart — 30 000 sur 37 000 —

n'ont en tout état de cause que des ressources locales
fort limitées, la réforme doit instituer un système
national de péréquation, indispensable si l'on veut
procurer aux villes-dortoirs, aux communes pauvres
en matière imposable, les ressources qui leur font
défaut, si l'on veut supprimer les inégalités criantes
qui subsistent dans le système de péréquation actuellement en vigueur. »

Ces différentes dispositions permettraient une
démocratisation certaine de la fiscalité communale.
Faut-il aller plus loin ?

Faut-il envisager de remplacer le maquis des impo-
sitions locales par un seul impôt d'Etat ? La question
est d'importance et mérite une étude sérieuse.

Sans apporter une réponse exhaustive et moins
encore définitive, je voudrais préciser tout d'abord
qu'une telle solution ne saurait être envisagée dans
le cadre de la politique de la majorité actuelle. Elle
ne peut se concevoir que dans un régime démocratique.

Il s'agirait tout d'abord de respecter un premier
principe : tout ce qui a un caractère de service
public devrait être pris en charge par l'Etat : l'enseignement, les colonies de vacances, les activités sportives, les activités culturelles, etc.

Quant aux équipements d'intérêt public : écoles,
collèges, lycées, équipements sportifs, culturels,
crèches, logements, voirie, transports, etc., ils
devraient de la même manière être financés par
l'Etat.

En contrepartie, seul l'Etat prélèverait l'impôt.
Un impôt unique par famille qui porterait tout à
la fois sur le revenu, sur les conditions de logement,
sur les activités industrielles, commerciales... sur la
propriété, sur la fortune.

Calculé sur des bases démocratiques, de stricte justice sociale, cet impôt produirait des sommes considérables. Il conviendrait alors d'affecter une partie de ces ressources aux collectivités locales sur des bases qui restent à définir. Il pourrait par exemple s'agir d'une répartition forfaitaire par habitant afin de permettre à *toutes* les communes de vivre normalement, et d'une aide modulée en fonction des besoins particuliers des communes.

Ce ne sont là que quelques jalons sur le chemin d'une solution pour démocratiser les finances locales. Est-ce la meilleure solution ? Y en a-t-il d'autres ? Que chacun apporte sa pierre...

V. — Urbanisme et cadre de vie.

On semble découvrir bien tardivement qu'une ville c'est fait pour y vivre... en constatant que dans la plupart des agglomérations, la vie est bien souvent devenue un véritable enfer. Alors on parle à l'envi du « cadre de vie », de « vivre mieux dans la cité », d'un « urbanisme humain », de la nécessité d'aménager des espaces verts et de faire échec aux « agressions » de toutes natures dont le citoyen est victime dans sa ville.

Les problèmes soulevés sont multiples et complexes. Ils appelleraient des développements qui ne sauraient trouver place dans les limites de ces quelques réflexions. Il s'agit en effet de l'urbanisme, du logegent, des transports, de la lutte contre les pollutions et aussi, sur un plan différent, de la sécurité des citoyens dans leur ville. Je me bornerai à quelques observations sur ces différentes questions en insistant un peu plus longuement sur l'urbanisme et la politique foncière.

On voit des villes grandir démesurément, des immeubles pousser anarchiquement, l'harmonie d'une cité détruite... et l'on reproche aux municipalités de laisser faire n'importe quoi et n'importe où. Pauvres municipalités qui n'en peuvent mais.

Sans doute y a-t-il des plans d'occupation des sols (les P.O.S.) et les Z.A.D.[1] et les Z.A.C.[2] et les Z.U.P.[3] et pour couronner le tout, des S.D.A.U.[4]. Tous ces sigles dans lesquels, souvent, on se perd !...

Ces dispositions constituent quelques garde-fous... qui permettent tout juste — et encore — d'empêcher des fous de faire des folies. Mais pour l'essentiel, les municipalités sont dépourvues de moyens réels. Elles ne peuvent pas s'opposer aux transactions immobilières. Elles ne peuvent pas empêcher un particulier ou une société immobilière d'acheter un terrain et d'y bâtir ce qu'il veut (dans les limites, il est vrai, du Plan d'Occupation des Sols).

Certes les communes peuvent mettre une option sur un terrain, proposer et même obtenir une déclaration d'utilité publique, mais cela ne leur donne pas pour autant les moyens financiers d'acquérir les terrains.

Ce qui est en cause fondamentalement, c'est donc la politique foncière, c'est-à-dire le problème des conditions d'acquisition des terrains.

1. Z.A.D. — Zone d'aménagement différé.
2. Z.A.C. — Zone d'aménagement concerté.
3. Z.U.P. — Zone à urbaniser en priorité.
4. S.D.A.U. — Schéma directeur d'aménagement et d'urbanisme.

Ce problème a pris une telle acuité que le gouvernement a décidé de soumettre au Parlement un projet de loi portant sur la réforme foncière.

Ce projet comporte deux dispositions essentielles :

1° L'instauration d'une taxe payée aux communes par les constructeurs (sur la base de la valeur du terrain et de la surface construite en excédent d'un « plafond légal ») ;

2° L'affectation obligatoire du produit de cette taxe à des acquisitions foncières.

La propagande gouvernementale tente de faire croire que ce projet permettrait de vaincre la spéculation foncière et de donner aux communes les moyens financiers d'exercer leur droit de préemption sur les terrains nécessaires à la construction d'équipements collectifs.

Mais ce n'est là qu'une apparence. La réalité sera tout autre.

Voyons la spéculation foncière. Il convient d'observer tout d'abord que le constructeur ne manquera pas de répercuter le montant de cette taxe sur les quittances de loyers s'il s'agit de logements en location ou sur le prix des appartements, s'il s'agit d'accession à la propriété. Et il répercutera aussi cette taxe sur le prix des terrains achetés pour la construction. Si bien, qu'en définitive, sa perception entraînera une nouvelle hausse des loyers, une nouvelle hausse des prix des appartements, une nouvelle hausse des terrains !... Loin d'être jugulée, la spéculation foncière trouvera donc un nouvel aliment.

Je voudrais d'ailleurs préciser à ce propos que l'on rend volontiers responsables de la spéculation foncière les quatorze millions de Français qui possèdent un bout de terrain ou un logement... comme la ménagère est rendue responsable de la hausse des prix sur le marché.

En vérité, si le prix des terrains a augmenté dans des proportions considérables, c'est avant tout en raison du fait des surenchères scandaleuses des promoteurs [1].

Ce n'est donc pas la spéculation foncière qui est à l'origine de la spéculation immobilière, mais la spéculation immobilière, en augmentant la densité des logements, des bureaux, qui provoque et alimente la spéculation foncière.

Il ne s'agit pas de nier que les petits propriétaires urbains bénéficient des hausses du prix de leurs terrains mais il faut faire remarquer que s'ils veulent reconstituer leurs biens immobiliers, ils sont aussi victimes eux-mêmes de ces hausses. Ils sont donc les premiers à avoir intérêt à une stabilisation des prix des biens immobiliers car le produit de la vente de leurs biens ne leur permet pas de reconstituer ailleurs des biens identiques.

Voyons maintenant les droits et les moyens nouveaux qui seraient donnés aux communes.

Le projet prévoit que seront créées d'office dans les communes de plus de 30 000 habitants, des zones d'interventions foncières à l'intérieur desquelles les communes disposeraient d'un droit de préemption. C'est ce que prévoit le programme commun de la gauche affirme M. Galley, ministre de l'Equipement... Oui, avec cette différence que le projet de M. Galley n'assure pas aux communes les moyens financiers d'exercer ce droit de préférence. D'abord parce que

---

1. Il est remarquable de noter que si le prix d'un terrain de plus de 3 000 m² dans le centre de la ville a été multiplié par 4 ou 5 depuis dix ans, le prix d'un petit terrain de moins de 500 m² a simplement doublé.

des exceptions ont été prévues aux bénéfices des
Z.A.D. par exemple et parce que, dans le cas de la
région parisienne le district bénéficiera d'une part
importante de la nouvelle taxe. Mais surtout, cette
dernière ne sera versée aux municipalités que dans
la mesure où celles-ci accorderont aux promoteurs
immobiliers l'autorisation de construire, c'est-à-dire
laisseront occuper des terrains qui auraient pu recevoir des équipements collectifs et laisseront augmenter la densité de construction prévue au P.O.S.

Avec de telles dispositions, une municipalité dési-
reuse de limiter les coefficients d'occupation des sols,
donc de limiter l'accroissement de la population,
ne disposera d'aucune ressource nouvelle. Telle est
la réalité.

Pour mettre un terme à la spéculation foncière,
pour permettre aux municipalités de réaliser un
urbanisme conforme aux intérêts de la population,
il faut avoir recours à de tout autres mesures.

Seuls des changements profonds sur les plans politique, économique et social, permettront d'apporter
une solution d'ensemble. Mais, dans l'immédiat, on
peut tout de même envisager des mesures pour
limiter la spéculation par un impôt sur les profits
immobiliers, par une politique sociale du logement,
pour donner aux communes les moyens financiers
d'acquérir les réserves foncières nécessaires à leurs
équipements collectifs.

Il serait urgent, en particulier, de s'attaquer au
scandale des profits immobiliers. Il conviendrait de
supprimer les avantages fiscaux dont bénéficient les
grandes sociétés de promotion ou d'investissement
mises en place par les groupes financiers. Il conviendrait également d'imposer sévèrement, au-delà d'un
certain seuil, les prix de vente des logements et des

bureaux. Le produit de cet impôt devrait revenir aux communes. Ainsi pénaliserait-on les opérations à caractère spéculatif évident qui sont une source de grands profits pour les banques et le moteur de la hausse des prix des sols.

Enfin, pour permettre aux communes de réaliser leurs équipements collectifs, il est indispensable :

1. De leur donner un véritable droit de préemption, c'est-à-dire une priorité d'achat, sur les transactions des terrains bâtis et non bâtis, à un prix de référence. Ce prix de référence devrait être en baisse par rapport aux prix actuels (la récupération rapidement croissante des plus-values au-delà du prix de référence représentera, en outre, un moyen financier supplémentaire pour les collectivités locales !) ;

2. De démocratiser les établissements publics chargés de conduire la politique foncière ;

3. D'affecter obligatoirement les terrains publics à des équipements publics où à des logements sociaux ;

4. De démocratiser les dispositions des expropriations pour assurer une protection réelle des petits propriétaires.

Ces différentes dispositions permettraient aux communes de réaliser un urbanisme conforme aux intérêts de la population. Un urbanisme assurant le meilleur équilibre entre la population, l'emploi, le logement et les équipements. Un urbanisme pour les hommes et non plus au service de la spéculation immobilière et foncière.

La politique foncière telle qu'elle vient d'être esquissée permettrait aux communes de disposer dans de bonnes conditions des terrains nécessaires à la construction de logements qui devraient être

« sociaux » par priorité. Le financement de ces logements serait assuré par trois dispositions essentielles :

1° Une dotation importante aux organismes spécialisés (H.L.M.) ;

2° L'affectation de la taxe de 1 % sur les salaires, dont le montant devrait être retenu pour les entreprises de plus de 100 travailleurs ;

3° L'octroi de prêts à longue durée d'amortissement et à faible taux d'intérêt.

Il conviendrait par ailleurs de prendre une série de mesures pour stabiliser le montant des loyers, pour améliorer les conditions d'attribution de l'allocation logement et pour garantir les droits des personnes accédant à la propriété et des copropriétaires contre les promoteurs malhonnêtes et la spéculation immobilière.

Toutes ces mesures que réclament en vain depuis fort longtemps les élus communistes sont bien connues. Je n'insiste pas. Je voudrais souligner toutefois que les associations de locataires devraient être reconnues officiellement et que leurs délégués devraient pouvoir participer aux réunions des conseils d'administration des offices d'H.L.M. De la même manière, les municipalités devraient avoir un droit de regard sur les offices pour donner leur avis sur les attributions de logement, sur les saisies et sur les expulsions.

Les transports tiennent une place importante — de plus en plus importante — dans la vie. Il s'agit — évidemment — d'améliorer leur rapidité et le confort mais aussi de les rendre moins coûteux. Les solutions relèvent du cadre de la politique urbaine et de l'aménagement du territoire ; elles doivent tenir compte avant tout des lieux de logement et de travail et donner la priorité aux transports en commun.

Le cadre de vie, l'environnement, c'est enfin — et hélas ! — la pollution et les nuisances. Il faudrait là s'arrêter longuement... car c'est incontestablement un aspect capital de la vie du citoyen dans la cité.

La pollution de l'eau et de l'air, les dégradations de la nature et des villes, les embouteillages, le bruit des camions, des automobiles et des trains, le bruit des avions... autant d'agressions dont sont victimes les populations de nos villes.

Est-ce une fatalité ? Est-ce la rançon du progrès ?

Non ! C'est le fruit du système capitaliste ; la rançon du profit. Ce que nous voulons c'est mettre le progrès scientifique et technique au service de l'homme — et non plus du profit — pour résoudre les problèmes des nuisances et de la pollution. Des solutions existent : il faut les imposer. Les imposer par la lutte. Il est possible de réduire le bruit des avions en exigeant qu'ils soient obligatoirement dotés des dispositifs adéquats. Possible d'imposer la réduction du bruit de la circulation sur les autoroutes dans les agglomérations en exigeant la construction des ouvrages nécessaires... Possible d'imposer la réduction des bruits et des fumées des usines polluantes en exigeant les aménagements nécessaires.

Il faut lutter pour obtenir les crédits nécessaires à l'aménagement d'espaces verts...

Enfin, le cadre de vie c'est aussi la sécurité des citoyens dans la ville. Agressions de diverses natures, vols, hold-up, prises d'otages... La peur s'installe dans nos villes. La peur est devenue le phénomène nouveau de cette époque dans notre société. Alors on apprend que telle municipalité a décidé de créer une milice communale ; que dans tel quartier les habi-

tants ont organisé leur propre défense... Les demandes
de port d'armes se multiplient.

L'autodéfense est à l'ordre du jour. C'est une
réaction normale, celle-là même qui est à l'origine
de la plupart des syndicats, des organisations, des
associations et des comités : que font les locataires,
les anciens combattants, les riverains d'une autoroute,
etc., sinon s'organiser pour défendre leurs droits,
pour lutter contre ceux qui mettent ces droits en
cause ?

Mais cette fois c'est différent : il ne faut pas
confondre *lutter* et se faire justice soi-même !... Lorsqu'on en arrive à organiser soi-même la chasse au
malfaiteur, au voleur, au « voyou », et pourquoi pas
au jeune qui a les cheveux trop longs, ou à celui
qui n'a pas la peau de la même couleur que nous,
c'est le signe d'une *crise profonde*. C'est le signe que
le citoyen n'a plus confiance en l'Etat, qu'il n'a plus
confiance en la police pour le protéger. Alors il
songe à organiser sa propre police...

Ce qui est en cause finalement c'est le régime lui-
même. La crise morale n'est que le reflet de la crise
de ce régime. La police est un corps d'Etat, au service
de l'Etat. Elle est fatalement le reflet de cet Etat.
Plus simplement : la police fait ce que le gouvernement lui demande de faire. Elle est avant tout un
service de répression.

On a fait — le régime a fait — de la police un
instrument de *répression avant tout* alors qu'elle
devrait être, avant tout, un moyen de *prévention*.

Je prends un exemple très simple, un fait que
tout le monde a pu constater : il n'est pas rare d'aper-
cevoir les policiers de la route soigneusement dissi-
mulés *après* un endroit réputé dangereux... pour

pénaliser l'automobiliste qui aurait commis une infraction. Alors que naturellement, ils auraient dû se placer bien en vue, *avant* le point dangereux. Pour *prévenir* l'infraction, voire l'accident.

Le rôle fondamental de la police qui devrait être de protection des personnes a ainsi, peu à peu, été dévoyé. La police apparaît de plus en plus comme un corps sinon tout à fait étranger, du moins *extérieur* à la population.

La police, c'est le commissariat, c'est la gendarmerie, c'est-à-dire des uniformes, des numéros, le plus souvent — dans les grandes villes — tout à fait anonymes.

Alors que pour remplir sa double mission de faire respecter les libertés, les droits des citoyens et d'assurer la sécurité, la police devrait *faire corps avec la population*. Elle devrait être considérée *a priori* avec confiance. Le policier en service dans un quartier, dans un immeuble, devrait être connu et considéré comme l'auxiliaire de la vie de chaque jour.

Pour qu'il en soit ainsi, pour que la police soit vraiment au service du peuple, au service de la population, il serait indispensable qu'elle soit démocratisée dans son recrutement, dans sa formation, dans son fonctionnement.

Il serait également indispensable que les collectivités locales soient étroitement associées à toutes ses activités. Les maires, au regard de la loi, sont responsables de l'ordre public sur le territoire de leur commune, mais ils n'ont aucun moyen de faire respecter cet ordre. Dans la région parisienne, depuis le règne de M. Thiers, les maires n'ont plus aucun pouvoir de police. C'est une situation anormale, ou plutôt une situation qui correspond très exactement au rôle que le régime entend faire jouer à la

police et non pas au rôle républicain qui devrait
être le sien.

Pour que les populations retrouvent la sécurité,
ce n'est donc pas seulement une question d'effectifs
de la police comme on le dit généralement — encore
que cette question ne soit pas négligeable — mais
une question de conception : il faut que la police
fasse corps avec la municipalité, avec la population
pour s'appuyer sur leur considération... Ce qui suppose, on en revient toujours au même point, une
profonde transformation du régime politique actuel.

VI. — Le personnel communal.

L'importance du personnel communal pour une
gestion démocratique de la commune ne saurait
être sous-estimée. Or ce personnel n'a pas toujours
reçu la formation professionnelle adéquate et il est
insuffisamment rétribué.

La municipalité — le maire — recrute les employés
communaux dans la limite des postes existants ou
créés après approbation par les pouvoirs de tutelle,
mais elle n'a pas voix au chapitre en matière de
traitements et, plus généralement, de statut de ses
propres employés.

C'est une situation anormale. Car de deux choses
l'une. Ou bien les employés communaux relèvent
de l'Etat et ils doivent être payés par l'Etat ; ou bien
ils relèvent de la commune et celle-ci doit avoir
un droit de regard sur le statut de ses employés, sur
leurs traitements, puisque c'est elle qui les rétribue.

La question ne peut être tranchée qu'en fonction
des moyens financiers des communes. En l'état actuel
des finances locales, et bien que les traitements des

employés soient faibles, ils représentent une charge
énorme : ils entrent pour un tiers, voire pour près
de moitié, dans les budgets de certaines villes !...

Moyens financiers donc et moyens statuaires
devront être donnés aux collectivités locales pour leur
permettre de recruter des personnels qualifiés et rétri-
bués correctement ; pour leur permettre aussi d'organiser la formation continue de tous les employés.

Enfin, et sur un tout autre plan, les employés
communaux doivent être plus intimement associés
à la gestion des affaires de la commune. Chargés
d'appliquer les décisions de la municipalité, ils
doivent être, plus étroitement encore que les autres
citoyens de la cité, mêlés à l'élaboration de la politique municipale.

Et pas seulement en vue d'une application correcte
de ces décisions, mais aussi parce que dans l'élaboration de ces décisions, ils peuvent, en raison même de
leurs fonctions, apporter des corrections et des suggestions d'un intérêt certain.

A l'heure où l'informatique fait son entrée dans
les municipalités, le rôle du personnel communal
prend une qualité nouvelle. Pour faire fonctionner
la machine — l'ordinateur — les employés doivent
être associés beaucoup plus étroitement à la gestion
même des affaires de la commune, c'est-à-dire aux
responsabilités à tous les échelons. L'ordinateur en
effet ne fera un bon travail que dans la mesure où
il sera correctement alimenté ; l'employé, les *employés
de tous les niveaux* doivent être toujours présents et
vigilants pour tenir compte des incidents de parcours :
des changements, des facteurs nouveaux, de l'im-
prévu, etc. qui viennent perturber le travail de rou-
tine de l'ordinateur.

Cette présence des employés exige une formation

sérieuse, un recyclage quasi permanent en même temps qu'une collaboration (information, concertation, participation) de plus en plus étroite entre les différents services de l'administration communale et avec les élus. Les employés communaux devraient pouvoir bénéficier, outre des cours, des conférences et des stages indispensables, d'un mois de recyclage par an.

VII. — LA COOPÉRATION INTERCOMMUNALE.

Si la commune ne constitue nullement un cadre dépassé, il n'en est pas moins évident que de nombreux problèmes ne peuvent être résolus qu'au niveau des agglomérations : plans d'urbanisme et d'équipement, construction d'hôpitaux, voies de communication, moyens de transports collectifs, zones industrielles, constructions scolaires, équipements sportifs, centres culturels, organisation de vacances, utilisation de l'informatique...

Dès lors, la question de l'évolution des structures communales se trouve posée. Mais faut-il supprimer les petites communes ? Faut-il créer de nouvelles structures d'agglomérations ? La réponse à ces questions ne saurait, à mon sens, revêtir un caractère universel, sinon de principe.

Il est certain que de nombreuses petites communes ne sont plus viables ; elles ont été vidées de toutes leur substance : l'école, le bureau de poste, la cure ont disparu ; les jeunes sont partis. Faut-il s'obstiner dans ces conditions à maintenir à tout prix la commune en tant que structure administrative, essayer d'y faire revenir l'instituteur, le postier et le curé, et ses habitants ?... Ou faut-il, inversement, supprimer

d'autorité toutes les communes si le pouvoir central
estime qu'elles ne répondent plus à une nécessité[1] ?

La solution à toutes ces questions ne saurait être
que d'inspiration démocratique : les structures
devront être fondées sur la coopération intercommunale démocratique. Il pourra s'agir d'associations de
communes sous diverses formes : syndicats à vocation précise, fusions même... Mais en aucun cas ces
associations ne sauraient être imposées par le pouvoir
central. Les communes concernées, leurs habitants,
doivent être consultés et doivent pouvoir se prononcer librement.

Conçue sur les bases de la libre détermination
des communes et de leurs habitants, la coopération
intercommunale est incontestablement appelée à se
développer. Elle répond aux nécessités de notre
époque.

Qu'en conclure ? Que la démocratisation du système municipal est une affaire complexe si on l'examine dans le détail de ses diverses composantes. Vouloir apporter une réponse précise et *a priori* à toutes
les questions posées, irait à l'encontre même du principe démocratique. Il ne saurait y avoir de recettes
préfabriquées mais seulement des solutions élaborées
par les citoyens eux-mêmes : par les élus, par les
techniciens, par l'ensemble de la population, *aux*

---

1. Le nombre des communes de moins de 100 habitants
est passé de 720 en 1881 à 3 423 en 1962 ;
Entre 101 et 500 habitants : 15 150 en 1881,
                             20 540 en 1962,
Par contre :
Entre 501 et 2 000 habitants : 26 532 en 1881,
                             10 918 en 1962
sur 37 000 communes.

différents niveau de l'élaboration, de la réalisation et de l'utilisation.

C'est pourquoi je m'en suis tenu à formuler quelques réflexions simples autour de sept piliers qui me semblent soutenir la charpente d'un édifice municipal démocratique.

Faut-il maintenant tenter une approche des grands thèmes d'une politique municipale démocratique ? Faut-il traiter en particulier de la politique sociale, de l'urbanisme, de la santé, de l'enseignement, de la vie culturelle, du sport, des loisirs, de l'environnement, de la promotion de la femme, de la jeunesse, des personnes âgées, de la police... ? Faut-il définir pour chacun de ces thèmes une orientation particulière et la codifier ?

Je ne le pense pas et pour deux raisons.

La première tient au fait que ces différents domaines relèvent d'une orientation générale de la politique française ; c'est donc au niveau national que cette orientation doit être définie. Etant bien entendu que cette orientation ne saurait être élaborée par en haut pour être, ensuite, distribuée d'en haut. Elle nécessite, au contraire, la plus large consultation populaire.

La seconde raison, c'est qu'au niveau de la commune, il appartiendra aux élus de participer — avec tous les citoyens de la cité — à cette élaboration pour ensuite l'adapter aux conditions de la commune.

La conclusion qui s'impose donc de toute évidence c'est qu'il n'y aura pas de démocratisation véritable du système communal en dehors d'une démocratisation générale de la politique française. On ne transformera pas nos communes en « îlots de démocratie » et encore moins en « îlots de socialisme »

dans les conditions de la politique du gouvernement
et de sa majorité actuelle.

Il faut changer cette politique, il faut changer
cette majorité. Le programme commun de gouvernement de la gauche constitue une base solide pour
mener ce combat. C'est autour de lui qu'il faut le
mener dans l'union et dans la lutte, de toutes les
forces de gauche, de toutes les forces démocratiques
et pour demain l'appliquer ensemble.

Alors s'ouvrira pour les communes de France, une
ère nouvelle : l'ère de leur plein épanouissement
dans la liberté... « Point de police, point de sottise,
point d'exaction d'aucune façon, point de dispute ! »

CINQUIEME PARTIE

PRINTEMPS EN LIMOUSIN
OU
QUELQUES CHAPITRES INSOLITES

CHAPITRE XX

Convalescence au printemps

POURQUOI après Choisy évoquer à nouveau le
Limousin ? Pour que la boucle soit complète ?
Pas seulement. Mais pour parler d'autre chose et,
comme tout le monde, de la pluie et du beau temps,
ou, si vous préférez, pour compléter le portrait du
militant que je suis.

Trop de gens croient qu'un militant communiste
est un être à part, un être désincarné. Quand on
me rencontre avec mes petits-enfants, on paraît surpris : « Tiens, vous avez des petits-enfants ? » Avec
mes parents : « Ah, vous avez vos parents ? »

Eh oui, mes parents, des enfants, des petits-enfants...
comme tout le monde. Et l'une de mes plus grandes
joies, c'est de pouvoir réunir toute la famille autour
de la grande table devant le feu de cheminée... c'est
de chanter avec mes petits-enfants, Sophie, Nathalie,
Sylvie, Gilles et Sylvain ; c'est de cultiver avec eux
l'art d'être grand-père... de montrer à Sophie comment, pensionnaire au collège, j'envoyais de grandes
cuillerées de purée sur le nez d'un camarade... Et
Sophie aussitôt de suivre l'exemple de grand-père

sur le nez de sa maman. Je vous fais grâce des félicitations que l'on m'adresse...

Maire communiste, oui, mais avant tout, un homme comme les autres hommes.

Un homme qui, un jour, fut victime d'un grave accident de la circulation... comme bien d'autres.

J'ai longtemps hésité : fallait-il ici parler de cet accident ? Dire la souffrance, la mort... là... toute proche... et puis, malgré tout, l'espoir, la lutte pour la vie... Dire l'épreuve terrible vécue par ma femme, mes enfants, mes parents... L'émotion dans la ville, les témoignages innombrables de sympathie. Et ma reconnaissance pour les chirurgiens, les docteurs, les infirmières...

A propos de ces témoignages de sympathie, je tiens à souligner la chaleureuse amitié dont m'entouraient mes camarades communistes... à préciser que le curé de Choisy invita les fidèles à prier dans la cathédrale, pour le rétablissement de ma santé... et à retenir une petite lettre glissée un soir sous mon oreiller par ma fille :

Papa,

> *Je voudrais désaccorder le temps*
> *Faire des heures de marathon*
> *Des heures calmes*
> *Je voudrais poétiser le silence*
> *De ces longues journées solitaires*
> *Peindre de grands soleils*
> *Tout autour de ta chambre*
> *Je voudrais doucement*
> *Apprivoiser la douleur*
> *Ton ciel en dedans lumineux*

> *Tout cela dans mon sourire*
> *Bonjour mon petit père*
> *Tout cela dans le fond de mes yeux*
> *Pour toi*
> *Papa*
> > *Avec toute ma tendresse*
> > *Michèle*

De grands soleils... c'est pourquoi j'ai choisi de vous dire l'espoir, la lumière et la joie de vivre...

La joie de vivre retrouvée avec la convalescence en Limousin, dans mon jardin, avec les fleurs et les oiseaux ; au bord de mon ruisseau, avec la truite, au printemps.

PRINTEMPS EN LIMOUSIN.

Avril ne rit guère au jardin ce printemps. Mais qu'importe : pluie ou soleil, c'est quand même le printemps. Le printemps pour les arbres, le printemps pour les fleurs. Pour les fleurs et pour les oiseaux. Et les fleurs et les arbres, les arbres et les oiseaux, tout chante la vie, la joie de vivre ou le malheur de vivre, la joie ou le malheur. La vie, tout bouge et tout parle — les bourgeons qui éclatent sous la pluie — et les fleurs qui s'ouvrent au soleil ; l'oiseau qui fait son nid : la bergeronnette et la mésange, le merle et le verdier ; le chardonneret qui couvre voluptueusement sa chardonnerette... la vie. La vie qui parle et qui chante, la vie qui pleure, l'arbre qui parle et qui chante et qui pleure, la fleur qui parle et qui chante et qui pleure, l'oiseau qui parle et qui chante et qui pleure. Je promène mes béquilles parmi les arbres, les fleurs et les oiseaux ;

ils me connaissent bien. De ma fenêtre je les écoute :
l'arbre qui se tord en gémissant sous les dernières
bourrasques, le bouton de rose qui fait éclater sa
guépière sous le rayon du soleil, le rossignol dès le
jour naissant qui entonne son hymne à la lumière.
Et tout cela se mêle ; l'arbre et l'oiseau, l'oiseau et
la fleur, se mêlent et se répondent en un concert
toujours renouvelé. Les matins si différents des soirs ;
et le matin jamais pareil à l'autre matin et le soir
toujours différent du soir. Aucune heure n'est pareille
à l'autre, aucun matin ni aucun soir ; ni la fleur ni
la feuille, ni l'oiseau ; ni le soleil ni les nuages. Rien,
l'instant d'après n'est pareil à rien l'instant d'avant.

A Choisy par la pensée.

Mars, avril, mai, c'est le printemps en Limousin ;
c'est aussi le printemps à Choisy-le-Roi. Choisy que
je n'oublie pas et qui ne m'oublie pas. La vie continue là-bas comme ici. Mes camarades du conseil
municipal me tiennent informé de leur travail et
je reprends pied progressivement.

Le budget a été voté. Je donne mon avis sur les
questions les plus importantes. Mais l'essentiel, c'est
de retrouver la santé. Mes camarades l'ont bien
compris et s'ils me consultent quelquefois, c'est moins
par nécessité que pour me témoigner leur amitié,
pour m'aider à reprendre le fil des activités municipales.

« Notre équipe » a toujours parfaitement fonc-
tionné et je tiens à rendre hommage à l'esprit de
confiance et de solidarité fraternelle qui nous unit,
à mes amis Louis Luc, André Grillot, Yvonne Marcailloux, André Lecourt, Roger Chavanel, Gustave

Robilliard, Raymond Hillou, le docteur Gulmann
et tous les autres : communistes, socialistes, radicaux,
sans parti ; à Hélène Luc, conseiller général, toujours très étroitement associée à notre travail.

Avec eux la commune est bien administrée ; je
peux poursuivre ma convalescence... au printemps en
Limousin...

Ce matin-là que j'attendais.

Pendant longtemps, mon univers a été limité au
jardin. Durant plusieurs mois j'en ai parcouru les
allées ; avec mes deux béquilles, puis avec une seule
béquille ; sans béquille enfin ! Patiemment, longuement, j'ai regardé la vie sortir de terre, la vie sortir
du bois des arbres ; la jeune plante et le bourgeon,
la fleur, le fruit... dans le soleil et sous la pluie, à
toutes les heures du jour, le soir et le matin. Le matin.
Le matin, les matins très tôt qui font mon émerveillement.

L'émerveillement des matins bleus, des matins
roses, des matins calmes ou rien ne bouge, quand la
fleur retient son parfum ; des matins noirs, des matins
lourds, des matins propres quand la feuille et la fleur
font leur toilette dans la rosée, des matins sales
dégoulinant de l'eau du brouillard gluant ; des matins
où tous les parfums s'exhalent, du chèvrefeuille et
de la rose, de la rose et du réséda. Matins, matins
sauvages où toute la nature fait exploser l'odeur des
foins ; matins de fête ; matins de rêve, matins de
toutes les couleurs et matins sans couleur ; matins
sans nuage ou le soleil emplit le ciel ; matin, matin
nuptial quand la lune tarde à quitter le soleil. Matins,

tous ces matins qui me font espérer le matin, le matin que j'attends.

Il est venu ce matin-là que j'attendais... Tout a commencé avant le jour, à bouger ; comme un fourmillement ; la fleur et l'oiseau, la feuille et l'homme dans son lit, la bête dans son étable ; la vie, la vie qui bouge, dans l'homme et la bête et la fleur et la feuille...

Ce matin-là que j'attendais.

La vie, la vie, qui bouge et qui éclate dans les rayons du soleil ; dans les rayons du soleil qui embrasent tout dans une fête énorme ; la fête, la grande fête du matin, matin parfums, matin chansons, matin lumières.

Ce matin-là que j'attendais, des oiseaux et des fleurs. Tout se mêle et s'embrasse, tout s'embrasse et tout chante, tout chante l'amour, l'amour et la joie, la joie de l'amour dans le soleil et dans les foins au bord de l'eau.

Au bord de l'eau ; ce matin-là que j'attendais depuis longtemps.

CHAPITRE XXI

Au bord du ruisseau

Depuis longtemps je l'attendais ce matin-là pour aller retrouver le ruisseau, mon ruisseau; un tout petit ruisseau de rien du tout. C'est que je suis pêcheur de truites ; un vrai pêcheur de truites — je veux dire un pêcheur passionné. Pendant les vacances, il ne se passe jamais une journée, pas une seule, sans que je ne me retrouve au petit jour au bord du ruisseau. C'est une passion, comme j'ai la passion du rugby et des roses. J'attendais donc avec une impatience que nul ne peut imaginer le moment où je serais assez solide sur mes jambes pour reprendre mes longues quêtes au bord de l'eau. Deux ou trois fois, je m'étais fait accompagner pour éprouver la sûreté de la jambe malade. Ce n'étaient que des sorties de reconnaissance tout près de la route dans un pré très plat, là où le ruisseau est facilement accessible ; là où il appartient à tout le monde... Je n'avais pas retrouvé mon ruisseau, mais j'étais prêt. Alors ce matin-là que j'attendais...

Loin de la route, loin des maisons par le vieux chemin creux, j'ai retrouvé bien caché dans la combe le ruisseau, mon ruisseau ; ce ruisseau de rien du

tout. D'où vient-il, où va-t-il ? qu'importe ; nul ne
s'en est jamais avisé. Il n'a pas de nom, il ne figure
sur aucune carte. Il n'existe pour personne ; pour
moi seulement qui sais où il prend sa source dans
cette tache plus verte au milieu du grand pré, pour
très vite disparaître sous la bruyère jusqu'à la petite
cascade des bouleaux. C'est ici que je l'ai retrouvé.
Il fait sombre encore. Le jour va naître lentement,
imperceptiblement. On le devine à mille riens. Je
m'assieds sur la fourmilière abandonnée qui fait un
siège rembourré de mousse. Sans bouger, j'écoute
et je regarde, ou plutôt, je me laisse intégrer dans
le paysage.

C'est l'instant merveilleux où j'absorbe tout ce
qui m'entoure : les bruits et les odeurs ; les bruits
et les couleurs ; le silence, le grand silence qui toujours précède l'éveil. Je ne sais rien de plus boule-
versant que ce silence ; il vous emplit de tous les
bruits que l'on n'entend pas : des battements du
cœur qui se règlent au rythme de la petite cascade
dont le murmure se fond dans le silence ; dans le
silence de la taupe qui creuse sa montagne... On
n'entend rien, on entend tout : l'air chaud qui caresse
en montant le tronc du bouleau, la brume légère
qui court entre les cailloux, le sang qui bat aux
tempes, la sève qui jute du bourgeon... Tous ces
bruits qu'on n'entend pas : de l'araignée qui tisse
son filet en travers du ruisseau, et de la truite, là,
devant la pierre, qui glisse de temps à autre jusqu'à
la surface de l'eau.

Tout s'éveille dans le silence, mais rien n'ose
encore le troubler quand tout pourtant voudrait
crier. Je le sens bien ; le silence est devenu intolé-
rable, il est trop grand, il est trop fort ; j'ai mal aux
tempes. Mais qui osera le briser ? C'est un brin

d'herbe ; c'est un brin d'herbe qui a osé sans le
vouloir ; il a glissé dans le ruisseau pour s'arrêter
entre deux pierres ; le courant en a été dérangé, à
peine, aucun œil ne l'aurait remarqué, mais le rythme
de la cascade a été modifié ; comme une cassure dans
le silence ; un caillou a roulé ; rien n'est plus comme
avant. Un geai donne le signal : il s'envole d'un bouleau dans un grand cri qui va libérer des angoisses
des ténèbres et du silence tout ce qui vit, la plante et
la bête, la feuille et le bourgeon, la fleur, les fleurs,
le merle et l'écureuil ; une branche qui craque en
s'étirant... Tout éclate en fanfare.

La truite.

Seule la truite reste immobile, là, tout contre le
bord, entre deux herbes dans le premier rayon du
soleil, indifférente semble-t-il, ou surprise, inquiète
même peut-être de tous ces bruits. Mais bien vite,
à sa manière, elle va participer à la fête ; à sa manière
silencieuse et nonchalante dans un festival de couleurs. En quelques coups de pagaie très lents, elle
s'approche encore du bord, là où l'eau est plus
sombre ; sa robe prend la couleur de l'ombre, noire,
uniformément noire. Rien alors ne la fait distinguer
d'un vulgaire chevaine ; rien dans la couleur ; elle a,
comme lui, le dos noir, mais dans la forme on ne
peut s'y tromper. Le chevaine est pareil à ces poissons gâteaux que font les pâtissiers au temps de
Pâques ; c'est raide, c'est mort. La truite n'est pas
un poisson gâteau, elle n'est pas un poisson raide ;
elle n'a pas une forme mais dix et vingt selon qu'elle
est immobile ou qu'elle se déplace.

Quand elle est immobile, elle peut être ramassée,

bandée comme un arc ou allongée et flexible comme
une anguille ; et quand elle se déplace, ou bien elle
se promène et c'est une lente ondulation d'une grâce
infinie d'un corps souple et musclé ; ou bien elle fonce
sur une proie et n'est plus qu'une gueule énorme
toutes dents dehors. C'est une bête sauvage, la vraie
bête sauvage qui tient du félin et du serpent. Elle
en a la souplesse et la férocité, la beauté inquiétante
et perverse. C'est une dame, une grande dame ; elle
s'habille chez les grands couturiers, et, souvent,
change de robe.

Regardez : elle sort de l'ombre, elle quitte aussitôt
sa robe noire pour une tunique pailletée d'or et de
rubis ; en plein soleil maintenant les rubis jettent
leurs feux sur le fond vert des herbes d'eau ; la truite
est verte, la truite est rouge ; quand elle avance jusqu'à la petite plage de sable, alors elle devient dorée,
dorée et rouge comme un brugnon bien sûr. Du
brun au noir au vert profond, du brun profond au
vert noir, du sable d'or parsemé de diamants rouges,
la truite mordorée change de robe. Le tissu est toujours de qualité et les couleurs toujours très chaudes,
toujours très riches. Il n'y a jamais une fausse note,
jamais une faute de goût ; c'est qu'aussi le miroir en
lequel elle s'admire est impitoyable de vérité. Il lui
révèle la moindre nuance et exalte la pureté de sa
ligne.

Est-elle coquette ? Nul ne le sait. Elle est belle naturellement ; belle comme une bête de pure race et,
comme elle, capricieuse. Elle sait être douce et calme,
nonchalante, brutale aussi, méchante et féroce...
comme une maîtresse ; une maîtresse difficile. Il est
des jours où elle se laisse caresser longuement et
d'autres où elle ne se laisse pas approcher, où elle
file comme un trait dès qu'elle sent votre présence.

Ce matin-là, elle ne s'enfuira pas. Très lentement, sans bruit, je me suis allongé sur la berge et j'approche la main. Elle sait que je suis là, mais elle ne bouge pas ; c'est à peine si ses deux petites nageoires sous le ventre ont frémi ; elle attend. A l'instant où les doigts la touchent, elle semble se cabrer mais elle ne proteste pas ; alors je commence à caresser son ventre en remontant vers la tête ; comme on fait quand on pêche la truite à la main : quand les doigts arrivent aux ouïes, on serre très fort, la bête est prise — mais je ne veux pas l'attraper, seulement la caresser. Mes doigts jouent sur ses flancs en touches légères, sur ses flancs lisses et musclés qui me rendent la caresse imperceptiblement avec timidité et inquiétude et puis franchement, avec confiance, avec plaisir quand mes caresses se font plus précises ; toutes les nageoires s'agitent en petits spasmes saccadés et je sens tout le corps de la bête que je tiens maintenant à pleine main, frémir de plaisir. Quand je relâche mon étreinte, elle se dégage paresseusement pour aller s'ébrouer dans l'écume blanche de la cascade. Elle en sort purifiée, digne comme une reine, dans son fourreau d'or moucheté de points noirs et de taches purpurines...

Je l'ai connue toute petite, un jour d'été qu'elle s'était prise à ma ligne ; elle était si petite et si belle déjà que je l'avais très délicatement remise à l'eau et c'est ainsi que nous sommes devenus amis.

Voilà comment je pêche la truite : je la pêche d'amour et jamais en eau trouble — c'est malhonnête et c'est malpropre — et jamais avec des appâts artificiels, cuillères et autres quincailleries. Je ne lui offre que de saines nourritures : un beau lombric, un grillon noir, une sauterelle verte à ventre jaune, un hanneton de fougère ou une grosse chenille de chêne,

une mouche, une mouche **vraie**, la petite mouche
noire de cuisine, la grosse mouche bleue et, la préfé-
rée, la petite mouche verte ; celle-là, je n'ai jamais vu
une truite lui résister... Mais ce n'est pas un traité
de pêche à la truite que j'écris là — peut-être, un
jour, plus tard ? Je voulais seulement vous avouer
que n'était la peur du gendarme, je ne pêcherai la
truite qu'à la main, comme on cueille les champignons ou les fraises des bois en choisissant. Mais,
voilà, c'est défendu...

BRACONNIER.

Alors, alors, justement, on a envie... et quelquefois
j'ai sacrifié à cette envie. N'allez pas croire que je
sois un braconnier ; j'en ai l'âme peut-être et quelquefois je succombe, mais quelquefois seulement car
j'ai peur. Peur un peu des gendarmes, très peu ; il
n'y a plus de gendarmes chez moi, il faudrait chercher
des jours et des jours pour découvrir un képi. J'ai
gardé cette peur pourtant parce qu'un jour, c'était
une nuit, j'avais accompagné mon père et un de
ses amis pêcher à l'épervier dans la Loue. Tandis
qu'au milieu de la rivière, ils lançaient l'épervier à
tour de rôle, en remontant le courant, je restais sur
la berge pour prévenir en cas de danger. C'était la
première fois que je participais à une entreprise
défendue, avec des hommes et avec des responsabilités
d'homme. J'étais fier, fier mais inquiet avec ce pincement du côté du foie que je retrouve encore quand,
d'aventure, je mange un fruit défendu. La pêche
était bonne. A chaque fois, le filet déposé sur la
berge ramenait quelques truites. La musette s'alour-
dissait et sciait mon épaule : quinze, dix-sept, vingt

et une, j'essayais de les compter lorsque j'aperçus de
l'autre côté de la rivière longeant une haie et se dirigeant vers nous, les gendarmes.

— Papa, papa, les gendarmes !

— Nom de Dieu ! Vite.

Ils ne pouvaient pas nous attraper ; par les che-
mins de traverse, nous étions revenus à la maison
avant même qu'ils aient pu rejoindre la route.

— N'allume pas la lumière, surtout me dit mon
père.

— Pourquoi ?

— Mais, bête, parce que si les gendarmes voyaient
la lumière ils pourraient croire...

Je dormis mal, d'un sommeil peuplé de képis et
de barreaux de prison. Quand je me levai, les gendarmes entraient en même temps que moi dans la
cuisine.

— Alors, père Dupuy, cette pêche ?

— Cette pêche ? Quelle pêche ?

— Ne faites pas l'enfant de chœur ; on vous a vu
cette nuit au gué du Bost.

— Au gué du Bost cette nuit ? C'est une plaisan-
terie. Regardez-moi, est-ce que j'ai l'œil de quelqu'un
qui a passé la nuit au clair de lune ? Et puis, vous
savez bien que je ne suis pas un braconnier, que je
suis un honnête fonctionnaire.

— Oui, oui, nous savons, bien sûr... Pourtant...

— Pourtant quoi, demandez au petit si je l'ai
quitté cette nuit ?

— C'est vrai, Monsieur le gendarme — j'étais
mort de peur — mon papa ne m'a pas quitté cette
nuit, pas une minute, pas une...

— Cet enfant est aussi menteur que son père...

— Non, je vous jure que je dis la vérité.

— Bon, bon, je te crois, petit ; je te crois parce

que je n'ai pas de preuve contraire. Et puisque je
n'ai pas de preuve, n'en parlons plus. A part ça,
père Dupuy ?

— A part ça, vous accepterez bien quelques truites
pour vos femmes et pour vos enfants ? Pas pour
vous surtout, car ce serait de la corruption de fonctionnaire et ça va chercher quoi, la corruption
d'homme de loi ?...

— Sacré père Dupuy va !...

Voilà d'où vient ma peur du gendarme ; un petit
pincement toujours du côté du foie quand je me
relève sur la berge en sortant une truite ou une
écrevisse. Ce n'est pas une peur véritable, un pincement seulement. Ma vraie peur c'est de toucher un
jour, au fond du trou où je cherche la truite ou
l'écrevisse, un rat ou un serpent. On ne sait jamais
ce que l'on touche ; si c'est une écrevisse, ça pique
un peu et puis c'est tout ; si c'est une truite, il faut
glisser les doigts en remontant jusqu'aux ouïes et
serrer fort ; mais si c'est un rat, ça mord et ça fait
mal, et un serpent, pareil. La couleuvre n'est pas
dangereuse ; la vipérine à peine plus, mais la vipère
et l'aspic, ça peut vous tuer. Je sais bien que l'on
dit que ces bêtes-là ne mordent pas dans l'eau. C'est
vrai je crois, mais elles peuvent en tout cas vous
mordre hors de l'eau, quand la main sort du trou
ou quand le menton disparaît dans les herbes de la
berge. Je parle du menton parce qu'une fois un
aspic a raté le mien de quelques millimètres. J'étais
à plat ventre dans l'herbe pour attaquer sous les
branches une belle truite que j'avais raté la veille ; à
l'instant précis où je lâchais mon fil tendu comme dans
un tir à l'arbalète, un aspic que je n'avais pas vu et
qui était juste sous mon nez sur une taupinière, a eu
peur ; il s'est détendu comme un ressort pour venir

planter ses crochets dans le col de mon gilet. Il y
est resté pris et j'ai dû, entre le pouce et l'index, le
serrer très fort derrière la tête pour lui faire lâcher
prise... c'est évidemment très désagréable. Malgré
ces « inconvénients » et la peur que j'en ai — ou
peut-être à cause de cette peur — la pêche à la
main demeure pour moi la vraie pêche, la plus naturelle. Mais je ne succombe à la tentation que rarement. Plus tard... quand il y aura prescription pour
les gendarmes... je vous raconterai...

Sidonie.

C'est à ces pêches-là que je pense ce matin. Ma
canne est courte, souple et nerveuse, le nylon passe
à l'intérieur — pour éviter les accrochages dans les
branches — et se termine par un bas de ligne un peu
plus fin au bout duquel je fixe un hameçon à la
manière que m'ont enseignée les romanichels avec
qui j'ai fait mon apprentissage. Un gros plomb tout
contre la hampe de l'hameçon et à un mètre environ,
un brin de laine pour ne jamais perdre le fil de vue.
C'est tout. Je fixe un hanneton en l'enfilant de la
tête vers la queue — les hannetons n'ont pas de
queue — et j'attaque le premier poste de chasse,
devant une grosse pierre. Les truites ce matin se
tiennent devant les pierres, c'est mon amie de la
cascade qui me l'a dit. Inutile donc de les chercher
dans les remous ou au milieu des courants.
Elles sont bien là. Mon fil s'immobilise mais
j'attends quatre ou cinq secondes. C'est le plus difficile : vaincre l'impatience. Quatre ou cinq secondes
pendant lesquelles je sens nettement à mon poignet
les répercussions du toc-toc très caractéristiques. On

dit en langage du pêcheur que la truite « téléphone ».
Je ferre et hop ! je la tiens. Je la tue aussitôt pour
l'empêcher de souffrir ; je ne sais rien de plus odieux
que ces paniers dans lesquels le poisson agonise. Je
la tue donc en frappant un coup sec derrière la
tête et je lui ouvre le ventre pour voir le menu du
jour ; et selon ce que je découvre — sauterelle, ver
de terre, chenille, porte-bois... — je change d'appât.
Encore un « truc » des romanichels. Ce matin-là,
ce sont des hannetons qui ont fait le menu ; je continue donc à pêcher avec des hannetons. Je prends
encore deux truites et j'arrive au petit pont de bois
où l'an dernier j'en ratais une grosse que j'appelais
Sidonie. Car au moment précis où la belle ayant
réussi à regagner son repaire dans les racines du vieux
vergne, mon fil s'étant rompu, un cultivateur du
village voisin appelait sa vieille mère qui gardait
les vaches : Sidonie ! Sidonie !...

A nous deux, Sidonie !... Bien caché derrière la
« vergnasse », je bande ma gaule comme un arc et
clac ! mon hanneton vient se poser à la surface à un
mètre en amont du petit rocher sous lequel la belle
a élu domicile. Au même instant, le hanneton disparaît dans une geule ouverte comme une porte.
La tentation est grande de ferrer aussitôt. Il faut
attendre. Je compte : 1, 2, 3, 4, 5... et je ferre. Quelle
bagarre mes amis ! Sidonie réagit comme une brute !
Elle fonce vers les racines du vergne. Je connais
cette manœuvre et il m'est facile d'y parer, ce que
voyant Sidonie s'élance vers l'amont : c'est un bond
de trois mètres par-dessus les branches basses. Elle
retombe à l'eau dans une gerbe d'eau pour filer à
droite puis à gauche. Je laisse faire en maintenant
toujours le fil légèrement tendu, ni **trop**, pour éviter
la rupture, ni trop peu, pour emp**êcher** le décrochage.

Je tremble de la tête aux pieds, mon cœur bat la chamade... Alors je me parle ; non pas intérieurement, mais tellement fort que si quelqu'un m'entendait il penserait que j'ai manifestement perdu la raison : « Ne t'énerve pas, surtout ne t'énerve pas ! Du calme, du calme... »

Et de fait, je retrouve un état à peu près normal. Sidonie va perdre maintenant l'initiative des opérations. Je la laisse glisser en aval pour la ramener vers l'amont en lui maintenant la tête hors de l'eau et je recommence huit ou dix fois pour essayer de la « noyer », jusqu'au moment en tout cas où, fatiguée, elle se laisse traîner comme un vulgaire « cabot ». Mais, je ne m'y fie guère, je la sais capable encore de soubresauts violents. Plusieurs fois je la fais glisser jusqu'au bord ; elle se débat furieusement quand elle m'aperçoit pour foncer à nouveau vers son repaire ; je la ramène inlassablement jusqu'au moment où elle paraît vraiment exténuée.

Il faut maintenant la hisser sur la berge. Comment faire ? Je n'ai pas d'épuisette ; je n'ai jamais d'épuisette car je considère cet engin comme un auxiliaire déloyal. Il faut que la lutte soit jusqu'au bout tout à fait régulière... Dès lors, je n'ai d'autres ressources que de prendre le fil délicatement entre le pouce et l'index pour essayer de la sortir de l'eau. La manœuvre est dangereuse je le sais. Dès que la bête sent que le fil n'est plus tendu avec la souplesse du scion, elle secoue la tête de droite et de gauche pour donner en une ultime tentative de libération un grand coup de queue sur le fil ; neuf fois sur dix, si vous n'êtes pas prévenu, c'est la catastrophe. Je la laisse filer vers l'autre rive, je reprends le fil entre les doigts et je tire ; l'élan ainsi pris me permet par un mouvement très coulé de faire glisser la truite

jusqu'à la berge et vite, loin sur le pré. Attention
encore car elle ne s'avoue pas totalement vaincue ;
comme une anguille, comme un serpent, elle ondule
dans l'herbe vers le ruisseau. Je la prends solidement
dans la main par le milieu du corps, à l'endroit où
elle ne peut échapper ni vers la tête, ni vers la
queue ; je la décroche et la tue. C'est fini. C'est fini,
mais je dois m'asseoir.

Après ces quelques minutes d'émotion intense,
c'est à nouveau un bouleversement viscéral ; une
réaction nerveuse : les jambes qui tremblent, le
cœur... Sûrement, un jour, je mourrai de pareille
réaction, ce sera une belle mort... au bord de l'eau...
et on m'enterrera dans le petit cimetière abandonné,
bien caché sur le versant de la colline qui domine
le ruisseau... sans discours, surtout sans discours, et
sans couronne ; quelques fleurs seulement de celles
que je préfère et trois bouleaux.

Trois bouleaux, comme il y en a trois auprès de la
petite cascade...

CONCLUSION

Avoir son but dans la vie des autres

CES réflexions bucoliques m'ont conduit au petit cimetière de mon village. Ce n'est qu'une anticipation « littéraire ». Le terme de la dernière étape, un terme lointain... je l'espère.

En attendant, la vie continue ; le combat pour la vie ; pour une vie meilleure.

C'est le sens que j'ai voulu donner à mon ouvrage. C'est le sens que je m'efforce de donner à ma vie : « Ceux qui vivent ce sont ceux qui luttent. »

Rien, jamais ne s'obtient sans lutte.

Le long combat des communes de France pour arracher les franchises, les libertés en est l'illustration irréfutable.

Sur ce plan comme sur les autres, le combat continue...

Et c'est toujours le même combat ; le combat des mêmes contre les mêmes : le combat de mon grand-père métayer prolongeant le combat de Jacquou le Croquant, le combat du père Baptiste, de Cathie, de Francet, de Coutil (du Pain Noir, de Georges Emmanuel Clancier), le combat de mes vingt ans dans la Résistance contre l'occupant étranger et la trahison intérieure ; contre ceux qui proclamaient « plutôt Hitler que le Front populaire ».

Les conditions sont aujourd'hui différentes mais la nature du combat reste la même : c'est un combat de classe.

Je sais bien que la formule hérisse ou choque parfois.

Je sais bien les grandes manœuvres qui se déploient sous l'orchestration savante de Giscard d'Estaing pour expliquer que la notion de classe est aujourd'hui périmée et pour prôner la fraternité.

Quelle fraternité ?

La fraternité entre Dassault, son trèfle à quatre feuilles et l'O.S. de ses usines ? La fraternité entre Giscard d'Estaing descendant de Louis XV et les vieillards de l'hospice d'Ivry ?

C'était déjà la fraternité entre Emilienne Desjarriges et la Cathie du Pain Noir. La fraternité qui n'était que condescendance et charité et qui reste condescendance et charité.

Il ne peut y avoir Fraternité que dans l'Egalité et la Liberté et, j'ajouterai, dans la joie.

La Fraternité, la grande Fraternité entre les hommes, c'est la Commune de Paris qui nous en a donné l'exemple.

« Le style propre de la Commune, ce fut celui de la fête... une immense, une grandiose fête, une fête que le peuple de Paris, essence et symbole du peuple français en général, s'offrit lui-même et offrit au monde. Fête du printemps dans la cité, fête des déshérités et des prolétaires, fête révolutionnaire et fête de la révolution, fête totale, la plus grande de tous les Temps modernes, elle se déroule d'abord dans la magnificence et la joie... le peuple parisien brise les digues, inonde les rues... Le héros collectif, ce génie populaire, surgit dans sa jeunesse et dans sa vigueur native. Surpris de sa victoire, il la métamorphose en splendeur... il transforme en beauté sa puissance... il célèbre ses noces retrouvées avec la Conscience, avec les palais et les monuments de la Cité, avec le pouvoir qui lui avait si longuement échappé. Et c'est véritablement une fête, une longue fête, qui va du 18 mars au 26 mars, au 28 mars [1]... »

C'est pour cette Fête que je suis communiste ; pour que la vie soit une fête, pour la joie de vivre dans une société où l'homme aura pris en main ses propres destinées. Dans une société où le profit, l'argent — l'horrible fric — ne sera plus le moteur et le but mais où tout sera conçu en fonction du plein épanouissement de l'homme.

N'est-ce pas l'idéal le plus noble que l'on puisse donner à sa vie ?

Certes, de l'idéal à la réalité — ou plutôt de la réalité à l'idéal — il y a un long chemin. La route est longue, escarpée, sinueuse... Je l'emprunte depuis 38 ans, trente-huit années de vie militante au sein du parti communiste français. Il n'y a aucune gloire à tirer de l'ancienneté. C'est la preuve tout simplement que les années ont passé. Mais c'est aussi la satisfaction d'être resté fidèle au même combat et c'est une certaine expérience, un peu comme un certain sourire.

L'expérience surtout, même si les choses ont bien changé en 38 ans, que le sectarisme, que le dogmatisme n'ont rien à voir avec le socialisme, avec le communisme ; que la vérité ne se décrète pas, que

1. Henri Lefebvre, *la Proclamation de la Commune*, citée dans les Cahiers de l'institut Maurice-Thorez, n° 21, 1971.

la confiance ne se décrète pas davantage ; qu'elle se mérite.

Pendant longtemps, j'ai pensé que la vérité marxiste était tellement évidente qu'il fallait être sourd, aveugle ou idiot pour ne pas la partager... Il y aurait quand même beaucoup de sourds, d'aveugles et d'idiots sur la terre !...

Il faut convaincre ; l'entreprise est complexe, difficile en raison même des intérêts qui sont en jeu : des intérêts de classe, et des moyens considérables dont dispose la bourgeoisie.

Pour mener à bien cette entreprise, une municipalité est un moyen, un moyen parmi bien d'autres, mais un moyen non négligeable.

Elle peut aider efficacement à montrer le véritable visage des communistes et la réalité de leur politique ; elle peut aider aussi à situer les responsabilités des difficultés que rencontrent les citoyens à agir pour surmonter ces difficultés, à corriger — mais non à supprimer — les inégalités sociales.

C'est dans cet esprit que les maires communistes viennent de décider la tenue d'assises communales. Ces assises ont été présentées en ces termes par Marcel Rosette, maire de Vitry-sur-Seine, membre du Comité central du parti communiste français :

« Assises communales, les mots ne sont pas nouveaux. Dans nos localités, il s'en est déroulé déjà de nombreuses, souvent sur des problèmes précis : santé, sport, culture, emploi, etc. Cette fois, il s'agirait en somme d'assises de la vie quotidienne » : toute la population serait concernée à la fois ; on y ferait le bilan des besoins immédiats dans tous les domaines ; il faudrait déterminer qui est responsable de la non-satisfaction de ces besoins, la Commune ? l'Etat ? Des revendications seraient mises à jour, d'autres naîtraient ; chacun participerait à un échange d'expériences sur les luttes engagées et se déterminerait sur la poursuite de l'action.

Syndicats d'ouvriers, d'employés, de cadres, d'enseignants, amicales de locataires, associations de parents d'élèves, comités de mouvements à vocation sociale, associations locales de toute nature, les représentants les plus qualifiés et les plus divers de ceux qui travaillent et qui vivent dans la commune participeraient à des « Assises communales de la vie quotidienne », assises qui seraient à la fois un moment des luttes locales et un nouveau témoignage du caractère démocratique de la gestion des municipalités communistes.

Parce que la crise n'est pas fatale, parce que l'austérité n'est pas inévitable, parce qu'il est possible de donner aux communes les moyens de répondre aux besoins des Français, les maires, adjoints et conseillers municipaux communistes vont continuer, avec intelligence, dévouement et intégrité, à servir les intérêts de leurs populations. »

Servir les intérêts de la population... Oui. Si un maire communiste est un militant communiste comme les autres qui participe à tous les combats de son parti pour transformer la société, il est aussi — et c'est d'ailleurs la même démarche — au service de la population qu'il représente.

Il est dans sa commune pour apporter un peu de lumière et de joie là où il n'y a qu'ombre et tristesse... Il est au service des autres hommes comme Paul Eluard l'exprime dans ce poème admirable :

> *... nous voulons libérer les autres*
> *de leur solitude glacée.*
> *Nous voulons et je dis je veux*

je dis tu veux et nous voulons
que la lumière perpétue
des couples brillants de vertu
des couples cuirassés d'audace
parce que leurs yeux se font face
et qu'ils ont leur but dans la vie des autres.

Avoir son but dans la vie des autres, n'est-ce pas en définitive la meilleure définition que l'on puisse donner d'un maire communiste ?

CHOISY-LE-ROI — LA CHABANNE (Dordogne)

ANNEXES

ANNEXE I

L'histoire de Choisy-le-Roi

Choisy-le-Roi est une petite ville dans la banlieue Sud de la région parisienne[1]. Limitée au nord par Vitry, à l'est par Alfortville et Créteil, à l'ouest, par Thiais et au sud par Orly, Villeneuve-le-Roi et Villeneuve-Saint-Georges. Elle est la seule ville, avec Paris, à s'étendre de part et d'autre de la Seine : la rive gauche comprend le centre ville proprement dit, les quartiers du parc, de la cuve et de la prairie ; la rive droite comprend les gondoles.

Des noms qui chantent : le Parc, la Cuve, la Prairie, les Gondoles, le Chemin des Bœufs, l'Avenue de la Folie, la rue des Pâquerettes, la rue des Liserons, la rue de la Remise aux Faisans... Pas étonnant que le Roi l'ait choisie... Choisy-le-Roi.

Je ne veux pas écrire l'histoire de Choisy... simplement marquer quelques points de repère qui s'inscrivent dans la longue formation de la commune. Une commune est un être vivant ; aucune commune n'est semblable à une autre. Chacune a ses caractéristiques, son originalité... C'est un point de départ à ne pas oublier... On n'administre pas

---

[1]. *L'Histoire de Choisy* par A. FRANCHOT, éditée en 1926 m'a été d'un précieux concours pour la rédaction de ce chapitre.

Je tiens à remercier Mme Aubriot, petite-fille de M. Franchot, qui m'a fort obligeamment autorisé à faire référence à cet ouvrage.

Je remercie également mon ami Ali Lakmache pour ses recherches à la Bibliothèque nationale.

une ville comme une fabrique de conserves. Il faut la
connaître, bien la connaître...

Selon la formule consacrée, l'origine de Choisy se perd
dans la nuit des temps... L'emplacement de la ville actuelle
fut longtemps noyé sous les eaux... Avant, on ne sait guère...
On a retrouvé des squelettes couchés sur des lits de cendres
et les savants s'interrogent : lits funéraires, restes de repas
d'anthropophages... **Qui le saura jamais ?** On peut imaginer
les monstres marins qui hantaient la région...

Plus tard, beaucoup plus tard, les eaux s'étant retirées,
les légions romaines devaient affronter nos ancêtres les
Gaulois... il en est resté des tombes gallo-romaines.

Choisy n'existait pas encore. C'est seulement sous Charle-
magne qu'apparaît la Seigneurie de Thiais (557 personnes)
qui devait donner naissance à Choisy. La population dépend
alors de l'abbaye de Saint-Germain-des-Prés ; c'est une population essentiellement agricole. On sait qu'il y avait alors
48 hectares de vignes... mais les crus ne sont pas passés à
la postérité !

En 1207, une chapelle est construite à Choisy ; elle devient
une cure en 1225 : c'est la paroisse Saint-Nicolas-de-Choisy.

C'est à peu près à cette époque (vers 1200, sous Philippe
Auguste) qu'apparaît le nom de Choisy. Les noms latins
donnés à Choisy ont subi un grand nombre de variations.
On trouve successivement dans les chartes : Causiacum, Cau-
giaco, Cosiaco, Chosiacum, Choisiacum... Le nom semble
dérivé de la forêt de Cuise dans laquelle était situé Choisy ; la
désinence *iacum* ou *acum,* du gaulois *acos,* exprimant l'idée
d'habitation et non, comme on pourrait le penser, l'idée
d'eau ou de rivière — exprimée par la désinence *ic.*

Quoi qu'il en soit « Choisiacum » fut à l'origine un village
d'une vingtaine de cabanes construites au bord de l'eau et
habitées par des pêcheurs, des bateliers, des serfs.

LES PREMIÈRES FRANCHISES.

On sait peu de chose des premières luttes de ces serfs.
Mais c'est en novembre 1250 que se **déroule** dans l'église

de Thiais la cérémonie de leur affranchissement. Voici l'acte
d'affranchissement :

« Frère Thomas, par la miséricorde divine, indigne abbé
de Saint-Germain-des-Prés, de Paris, à tous ceux que ces
présentes verront, salut éternel dans le Seigneur. Faisons
savoir qu'en notre présente ont comparu les habitants de
Thiais, de Choisy et de Grignon, ainsi que Guillaume Brunel,
Robert Brunel, Garnier le Noir, Guillot le Noir, Albert Liod,
Jean d'Orly, la famille de défunt Robert, la famille de défunt
Martin de Furnes, la famille de défunt Landeri de Furnes,
la famille de défunt Jean de Furnes, Guillaume le Petit et
son fils, les frères de Guillaume de Grignon, la famille de
défunt Robert Loncjumel, Robert de Ruel et Ysabelle la
Noire, habitants de Parai ; Herbert Buchet, Jean Blanc-
Chien, Gilot Blanc-Chien, la femme de Mathieu Boulart,
la femme de Rolebaut, Jean Repèle, la mère de Jean, Marie
d'Orly, Pierre Blanc-Fourre, la veuve de Jean Fabre, Jean
Valens, Symone de l'Orge, Henri de la Fontaine, habitants
de Vitry ; lesquels nous ont supplié humblement de leur
faire remise, pour une somme fixe, des droits de mainmorte, de formariage et de taille à volonté que nous avons
toujours prélevés sur eux, sans trouble ni violence, depuis
les temps les plus anciens.

« Et nous, accueillant leur demande avec bonté et voulant
à l'avenir veiller à leur intérêt et à leur tranquillité, d'un
commun accord et d'une volonté unanime, nous les dispen-
sons, eux, leurs femmes, leurs enfants et tous leurs descen-
dants, des droits de mainmorte de formariage, de taille à
volonté et de toute sorte de servitude, moyennant la somme
de deux mille deux cents livres parisis, et pour laquelle
somme nous les tenons quittes, les affranchissons pour
toujours et leur accordons à jamais pleine et entière liberté ;
avec cette réserve, néanmoins, qu'ils restent soumis aux
charges, services, corvées, coutumes et redevances actuellement existant dans la seigneurie, comme il est dit ci-après :

« Les habitants sont tenus de nous payer vingt deniers
de cens annuel par arpent de vigne ; ils sont tenus de se
servir de nos pressoirs, de nous donner pour chaque muid

de vin, deux septiers de vin pur, et ensuite le tiers de tout
le vin du pressoir ; avec défense de posséder ou de construire
un pressoir pour leur usage personnel ; ils sont tenus de
fournir des lits à l'abbé de Saint-Germain et à sa suite,
quand il couchera à Thiais ; de cuire le pain au four banal ;
de faire un jour de corvée dans les prés au moment de la
fenaison moyennant une obole parisis que le prieur donne
à chaque ouvrier ; de conduire aux labours toutes leurs
bêtes de trait, à raison de neuf jours par an, savoir trois
jours au premier labour, trois jours au second et trois jours
au labour du mois de mars ; ils sont tenus d'instituer chaque
année de bons et fidèles gardiens des blés et des vignes,
comme il y en a toujours eu ; de payer la taille, chacun en
proportion de ses biens, quand le seigneur-roi lève les impôts
sur les terres de l'abbaye ; il leur est défendu de donner,
de vendre, d'échanger, d'aliéner de quelque manière que
ce soit, une terre quelconque sans que les charges et
coutumes y restent attachées ; celui qui veut faire partie
d'une commune devient par testament, ou par procuration,
ou par tout autre juste moyen, possesseur d'une terre de
notre seigneurie, ne peut se prévaloir de l'affranchissement
ou des coutumes en usage dans cette commune pour s'exoné-
rer des charges attachées à la terre qu'il a acquise ; enfin,
les habitants de Thiais et de Choisy sont tenus de ne pas
créer de commune sur leur territoire avant d'en avoir
demandé et obtenu la permission, et de n'appartenir à
aucune commune tant qu'ils demeurent dans notre seigneurie ; et tous les hommes en âge de majorité sont tenus, à
notre réquisition ou à celle de notre prieur de Thiais, de
nous aider, et de nous défendre, comme de bons serviteurs
aident et défendent leurs maîtres, de repousser par la force,
la violence qui pourrait être faite à nos personnes et à nos
propriétés sur toute l'étendue du territoire.

« Lesdites obligations, toutes ensemble et chacune en
particulier, ont été voulues, consenties et approuvées, à
tout présent et avenir, par les habitants de Thiais, de
Choisy, de Grignon et de Parai, qui ont promis formellement
de les remplir avec fidélité. Quant à nous, nous nous

sommes plu à accorder l'affranchissement et la liberté à tous ceux et celles qui, quelle que soit leur origine, demeuraient au temps des présentes, à Thiais, à Choisy et à Grignon ; à leurs femmes et à leurs enfants, et aussi à ceux qui, natifs de Thiais, de Choisy ou de Grignon, étaient serfs dans une autre seigneurie et n'avaient pas encore contracté mariage.

« Et, afin que cela demeure stable et ferme dans l'avenir, nous avons accordé auxdits habitants ces présentes lettres munies de notre sceau.

« Fait l'an de l'incarnation de Notre-Seigneur, mil deux cent cinquante, au mois de novembre, sous le règne de Louis, fils de Louis, très pieux roi des Français. »

Dès lors, Choisy va s'affirmer comme paroisse, mais pas encore comme commune. Le mot de commune sonne alors très mal aux oreilles des seigneurs et des abbés. « Commune, dit l'un d'eux, est un mot nouveau détestable, et voici ce que l'on entend par ce mot : les gens taillables ne payent plus qu'une fois l'an à leurs seigneurs la rente qu'ils leur doivent. » Quelle horreur en effet ! Choisy reste donc encore une paroisse.

La première école est fondée en 1665 ; un prêtre fait office d'instituteur. La population peu nombreuse est très pauvre. Elle est fixée sur la rive gauche dans une cinquantaine de petites maisons au bord de l'eau, en face du bac, et autour de l'église, de l'école, de la maison des pressoirs et de l'hostellerie Saint-Nicolas.

Sur la rive droite, au lieu dit « La Folie », il y a une ferme importante ; la ferme de Sainte-Placide.

Au XVIIIᵉ siècle.

En 1748, sur décision de Louis XV, la cathédrale est construite ; elle remplacera l'ancienne église édifiée en 1207 sur les bords de la Seine.

Ces quelques points de repère ne peuvent guère donner une idée précise de la vie de ces générations dans notre ville, tout au plus permettront-ils d'imaginer et de rêver...

D'imaginer le dur labeur des serfs ; d'imaginer les ven-
danges ; de rêver aux bateliers, à la ferme de Sainte-
Placide, aux terres labourées, aux prairies et aux bois...

Une paroisse comme tant d'autres autour de Paris,
laborieuse et anonyme, et qui serait restée obscure sans un
caprice. Le caprice de Mlle de Montpensier qui devait
acheter une maison à Choisy et en faire un château. Dès lors,
Choisy va vivre sous le règne de celle que Bossuet appelait « La Grande-Mademoiselle ». Cousine germaine de
Louis XIV, célèbre héroïne de la Fronde, Mlle de Montpensier va passer les quinze dernières années de sa vie à
Choisy dont elle essaie de faire une « orbite de Versailles ».
C'est le temps de Choisy-Mademoiselle.

Plus tard, Louis XV achète Choisy qui devient Choisy-le-
Roi. De très importantes transformations sont apportées au
château : les grands appartements deviennent les petits
appartements, un petit château est construit dans l'orangerie.

LA POMPADOUR.

Jeanne Antoinette Poisson — la Pompadour — devient
la reine de ces lieux où les fêtes succèdent aux fêtes, les
petits soupers aux feux d'artifice et au théâtre.

On fait bonne chère.

Voici le menu d'un petit souper :

A SOUPER

Samedi 4 janvier 1744

DORMANT

2 OILLES

Une aux lentilles
Une brunoise

2 POTAGES

Un aux oignons, une poularde dessus
Un aux navets, un canard dessus

4 RELÈVES

Une terrine de pascaline d'agneaux
D'un quartier de mouton de Beauvais
Une terrine de tendrons de bœuf à la flamande
D'un quartier de veau 1re blanquette dans le cuisseau

HORS-D'ŒUVRES ET ENTRÉES

De petits pâtés au blanc
De noix de veau aux cardons
De filets de mouton à l'eau
D'un samy de bécassines
De ballottes de Foyes gras
De poulets dépecés au Pavie
De croquettes de faisands
De cervelles à l'orange
De perdreaux sautés aux truffes
De crépinettes de viandes meslées
De pied de mouton à la moutarde
De deux épaules de mouton de Gand
De filets de poullardes au suprême
De boudin

2 RELÈVES DE GROSSES PIÈCES

D'un dindon de la ménagerie
D'une cassole au riz

2 GRANDS ENTREMETS

D'un pâté de poullardes
De gâteaux de Compiègne

2 MOYENS

D'un gâteau de lièvre
D'un saucisson aux truffes garni de langues

ROST

De perdreaux rouges
D'un coq vierge de cresson
De beccaux
De pluviers
De faisands
De petits poulets
De rouges
De pigeons ortolans

16 ENTREMETS

De truffes en façon de moulle aux fines herbes
D'une crème simple
De Tallemousses
De cardes à la moëlle
D'animelles
D'un petit pain au chocolat
De ris d'agneaux à la Dauphine
De crêtes à l'Italienne blanche
De foyes gras à la broche, sauce piquante
D'une crème à la Fouquet
De montants
De pattes à l'Espagnole
De truffes entières
D'œufs en canapé au lard
D'un pain aux champignons
D'asperges.

Bon appétit Messieurs Dames !

Mais, tandis que des sommes fabuleuses sont englouties dans les transformations du château, dans son ameublement précieux, dans les petits soupers, les fêtes galantes au bord de l'eau et sur l'eau, le peuple connaît une existence misérable.

Sans doute, comme on le dit déjà à l'époque, toute cette animation « fait marcher le commerce » et procure de nombreux emplois. Mais les salaires sont très faibles. On engloutit plus d'argent en un petit souper qu'il n'en faut pour payer les salaires annuels de toute la « valetaille » du château.

D'un côté, côté cour, un luxe inouï, l'or qui ruisselle de mille feux. De l'autre, côté peuple, on est écrasé sous l'impôt car il faut bien que l'on trouve l'argent pour payer ces folles dépenses (Choisy compte alors 1 mendiant pour 10 habitants).

Alors le peuple « murmure » mais ce ne sont que murmures et les grondements sont rares. Pourtant, la chronique du temps rapporte, par exemple, qu'il fallut enterrer une favorite à 6 heures du matin pour éviter les troubles...

Mais revenons « aux plaisirs » de Choisy pour souligner l'essor qu'y prit le théâtre.

En 1760, l'architecte Gabriel construit le théâtre de Choisy. La Pompadour et son entourage avaient déjà joué de nombreuses pièces de théâtre et, notamment, *Tartuffe* ; mais après 1760, c'est une compagnie qui va se produire : « les comédiens ordinaires du Roi ». Pour l'inauguration du théâtre, on joue *Tancrède* et, par la suite, le *Legs* de Marivaux et de nombreux ballets.

Les trois théâtres de Paris : la Comédie française, la Comédie italienne et l'Opéra donnent des représentations au théâtre de Choisy. On joue jusqu'à six et sept pièces dans la même semaine. Choisy-le-Roi est devenue la véritable capitale du théâtre... grâce à la Pompadour.

Amie de Voltaire et des philosophes, ennemie des jésuites, la Pompadour aura marqué Choisy et son temps de son empreinte. De l'empreinte de folles dépenses de la courtisane, de l'empreinte aussi d'un essor certain donné au théâtre. L'histoire n'a guère retenu ce rôle joué par la Pompadour. A tort ou à raison ?

Quoi qu'il en soit, la Pompadour, ayant fait son temps, meurt en avril 1764. C'est aussi en 1764 que Louis XV rachète l'abbaye de Saint-Germain. Il crée une seigneurie à part à Choisy. Les Choisyens qui « appartenaient » aux religieux depuis près de 1 000 ans appartiennent désormais au roi.

Notons pêle-mêle qu'une cour de justice est alors installée

à Choisy, qu'un marché hebdomadaire fonctionne sous la halle construite à cet effet. Notons également que jusqu'en 1770, le bateau coche constitue le principal moyen de transport vers Paris. Il y a un départ de Paris tous les vendredis ; le trajet dure trois heures. A partir de 1770, une voiture à cheval relie Choisy à la capitale deux fois par semaine...

Notons enfin que Choisy est un lieu de traversée de la Seine (entre le nord et le sud de la France). Le bac est très fréquenté, bien qu'il soit dangereux et lent (on relève dans la chronique locale de nombreux renseignements sur les noyades et sur les files interminables d'attente).

Le règne de Louis XV touche à sa fin. Le théâtre qui fit la gloire de Choisy sombre dans la médiocrité et la grossièreté. La Du Barry a succédé à la Pompadour ; la vie de plaisir, la débauche caractérisent la fin du règne.

C'est à Choisy, que la Du Barry aurait dit à Louis XV qui aimait faire son café lui-même : « France, ton café fout le camp ! » A Choisy aussi que Louis XV aurait déclaré — en regardant une crue de la Seine : « Après moi, le déluge ! »

Oserais-je ajouter là, en forme de parenthèse, que les origines de M. Giscard d'Estaing, président de la République, peuvent être recherchées à cette époque à Choisy-le-Roi ? Parmi les nombreux bâtards conçus à Choisy ou ailleurs par Louis XV, on relève une fille Louise Adélaïde qui aurait, selon Giscard d'Estaing lui-même, épousé M. de Saint-Germain dont la mère aurait été l'arrière-arrière-grand-mère de Giscard d'Estaing.

Des généalogistes prétendent que c'est là une erreur ; que Louise Adélaïde aurait épousé le comte Jean-Pierre Bochasson de Montalivet, arrière-arrière grand-père de la mère du Président de la République.

Quoi qu'il en soit, personne ne conteste l'ascendance royale de l'aïeule du Chef de l'Etat... donc du Chef de l'Etat lui-même. Que cette ascendance ait pris naissance à Choisy ? Allez savoir ! Quel intérêt d'ailleurs y aurait-il pour notre ville à revendiquer cette filiation ? Aucun assurément. Il nous suffit de savoir que Giscard d'Estaing descend de Louis XV... ce qui ne saurait trop surprendre car, à le voir, on se disait aussi...

Bref, et fermons la parenthèse pour revenir à Louis XV qui meurt en 1774 de la petite vérole.

Louis XVI, qui lui succède, et Marie-Antoinette passent les huit premiers jours de leur règne à Choisy... qui va être abandonné progressivement.

Louis XVI offre le Petit Trianon à Marie-Antoinette... La cour n'ira plus à Choisy. Le château va être littéralement vidé de tous ses trésors : les meubles, les bijoux, la lingerie, tout prend le chemin de Paris ; les serviteurs sont congédiés.

Louis XVI installe deux compagnies de gardes de corps ou château... Grandeur (quelle grandeur ?) et décadence !

En décembre 1789, l'Assemblée nationale décide la vente des domaines royaux et ecclésiastiques. En septembre 1791, la ville devient propriétaire ; elle doit revendre en 1792... Le domaine est morcelé en une trentaine de lots que la bourgeoisie acquiert.

Durant toute cette période, le mécontentement a grandi. Il s'est traduit notamment par la grève des cochers de fiacre en octobre 1779. Ce fut sans doute la première grève que connut Choisy et la première grande manifestation contre le roi (1 800 — d'autres disent 400 — cochers rassemblés devant le château pour demander la diminution de la taxe perçue par le roi sur chacune des voitures).

Le peuple secoue ses chaînes.

LA RÉVOLUTION.

Choisy rédige son cahier de doléances : cette rédaction est confiée à MM. Leverdier curé, Genty, Ferré, Lionnet, Rivière et Vaugeois.

C'est le vendredi 17 avril 1789 que le cahier de doléances est présenté à l'ensemble de la population réunie dans l'église de Choisy-le-Roi.

C'est un document important, l'un des plus importants sinon le plus important de toute l'histoire de Choisy. Il comprend cinq chapitres : droits féodaux, commerce, lois constitutionnelles, législation, clergé et articles divers.

En décembre 1780, la constitution crée la commune ; en février 1790, la commune de Choisy élit sa municipalité dans l'église. Ses pouvoirs sont précisés : elle répartit l'impôt, elle peut requérir la garde nationale, elle s'occupe du recrutement militaire. Elle ne peut pas être dissoute par le pouvoir central.

Le premier maire de Choisy est M. Vaugeois, longtemps entrepreneur de menuiserie des bâtiments du Roi.

En avril 1793, il est remplacé par un « modéré », M. Guerrin. Mais il redevient maire en novembre 1793, avec l'appui des Robespierristes.

Vaugeois a deux sœurs (Mmes Duplay) dont l'une est mariée à un ami de Robespierre. Son domicile devient le lieu de rendez-vous du Paris révolutionnaire. L'une de ses nièces, Elisabeth, épouse Lebas, ami de Saint-Just et de Robespierre ; une autre nièce, Eléonore, est l'amie de cœur de Robespierre ; elle est sa fiancée.

Dans le même temps, Danton habite à intervalles plus ou moins réguliers à Choisy, de 1793 jusqu'à sa mort, le 5 avril 1794. Ses meubles seront vendus à Choisy.

Le 9 thermidor, Robespierre et ses amis sont arrêtés ; ils sont exécutés le 10. On sait que Robespierre avait prévu de venir le lendemain chez Vaugeois à Choisy pour fêter la Sainte-Anne, patronne des menuisiers.

Vaugeois, Didier, Simon, Benoit sont arrêtés.

La sœur de Vaugeois, qui avait hébergé Robespierre, est trouvée étranglée, pendue au crochet de la fenêtre de la prison... Quant à ses filles, on ne sait ce qu'elles sont devenues.

Le Comité révolutionnaire de Choisy est dissous en septembre 1794 ; il avait tenu en une année 212 séances.

Bonaparte, Napoléon... L'Empire succède à la Révolution, Le conseil municipal est dissous. Le maire est nommé par le préfet.

Au XIXe siècle.

C'est de cette époque que date la construction du pont de Choisy. Réclamée depuis des centaines d'années, cette construction a nécessité de multiples démarches et provoqué de longues et passionnées controverses. Le projet avait ses partisans ; il avait aussi ses adversaires (les « gens d'eau » à cause du préjudice qu'il ne manquerait pas de porter à la navigation...). Jusqu'au jour, raconte-t-on, où Napoléon (en septembre 1808) ayant dû attendre le bac plus d'une heure — une majesté n'attend pas — décida la construction du pont.

Les travaux commencèrent le 13 septembre 1809 et furent terminées en 1811, sous la direction de Claude-Louis-Marie Navier, ingénieur des Ponts-et-Chaussées. Coût total de l'opération : 390 035,77 francs !

C'est en 1835, sous la monarchie de Juillet, que sera rétabli le principe de l'élection du conseil municipal. Mais au suffrage censitaire : seuls les contribuables les plus imposés ont le droit de vote. Il n'y a que 41 votants.

Durant toute cette période, Choisy aura connu un citoyen célèbre : Rouget de Lisle. C'est en 1826 qu'il s'installe à Choisy ; la maison qu'il habite existe encore au numéro 6 de la rue qui porte son nom.

Il mourut en 1836, à 76 ans. Ses obsèques se déroulèrent dans le calme jusqu'au moment où la foule entonna *la Marseillaise*. Les annales de l'époque rapportent qu'une femme éleva alors son enfant au-dessus de la foule en s'écriant : « Regarde, mon fils, comment on honore les vertus d'un brave ! » On connaît aussi un poème composé à sa gloire qui se termine par ces vers :

« Des actes de juillet, deux seuls te sont fidèles, le peuple et le soleil. »

Interdite sous l'Empire et sous la Monarchie, *la Marseillaise* est reprise en 1830 et en 1848 pour devenir notre chant national en 1879. Choisy compte alors 3 000 habitants.

Les premières écoles primaires ont été créées. Elles sont

payantes. La ligne de chemin de fer Paris-Orléans est construite en 1840.

La Révolution de 1848 verra le maire de Choisy se ranger
du côté de « l'ordre ». Elle n'en sera pas moins marquée à
Choisy par la création de la première école pour les ouvriers.

En 1870, c'est la guerre. La population quitte Choisy en
masse pour se réfugier à Paris par peur des Prussiens.

Le 18 septembre, les Allemands occupent Choisy, le 19,
ils occupent Orly, Chevilly, Rungis.

Le pont de Choisy saute.

Le 28 janvier 1871, c'est la capitulation : les Choisyens
regagnent leur ville.

Mais Paris n'a pas abdiqué.

La Commune de Paris.

La Commune de Paris fait face aux Versaillais. Choisy
est prise entre deux feux : d'un côté, la Commune qui tient
le fort d'Ivry et le moulin de Saquet ; de l'autre, les
Versaillais qui occupent Juvisy et Villeneuve-le-Roi. Les
combats sont meurtriers. Le 18 mai au soir, Wrobleski à la
tête de ses troupes pénètre dans Choisy : le drapeau rouge
flotte sur le clocher...

Mais le 2 juin, les Versaillais bouclent Choisy... Perqui-
sitions, arrestations ; quarante Choisyens sont emmenés.
Une répression sanglante s'abat sur Paris et sur toute la
région parisienne.

Paris panse ses plaies ; Choisy panse ses plaies. Cette
plaie ouverte — du temps des cerises — que l'on garde au
cœur.

Et pourtant, toutes ces larmes et tout ce sang n'empê-
cheront pas que Choisy donne à l'une de ses rues le nom
du sinistre Thiers. Notre municipalité effacera ce nom en
1971 pour le remplacer par celui de Louise-Michel, à
l'occasion du centième anniversaire de la Commune.

Le 1er juillet 1871, la municipalité reprit son existence
officielle jusqu'en 1940.

Parmi les événements les plus marquants de cette période, retenons tout d'abord la création, en 1877, du Cercle populaire d'instruction et d'initiative de Choisy-le-Roi. Placé sous la « protection » de Victor Hugo, ce cercle a reçu les adhésions de nombreuses personnalités : Louis Blanc, Hector Malot, Erckmann, Chatrian, Gambetta, Gounod, Camille Pelletan.

Notons ensuite les nombreuses manifestations organisées à la mémoire de Rouget de Lisle.

Le 21 juillet 1881 : inauguration de la plaque commémorative de sa mort, 6, rue des Vertus (aujourd'hui rue Rouget-de-Lisle).

Le 23 juillet 1882 : inauguration de la statue en bronze (œuvre du sculpteur Léopold-Clément Steiner) sous la présidence de M. de Freyssinet, Président du conseil.

Le 24 avril 1892 : célébration du centenaire de *la Marseillaise* devant une foule considérable : cinquante mille personnes.

DEPUIS 1900.

Plus près de nous, enfin, en 1936, à l'occasion du centième anniversaire de la mort de Rouget de Lisle, Maurice Thorez, Secrétaire général du parti communiste français, prononçait un grand discours réconciliant *la Marseillaise* et *l'Internationale*.

Pour revenir au déroulement chronologique des événements, retenons l'acquisition, le 29 mai 1903, par le conseil municipal, d'une propriété qui faisait partie, à l'origine, du parc acheté par Louis XV en 1739 cent mille écus (350 000 francs), le bâtiment et le jardin public ont été soigneusement préservés : ils constituent actuellement l'Hôtel de ville et le parc de la mairie [1].

---

1. On m'interroge souvent sur la disparition du château de Choisy. Les documents à ce sujet sont très imprécis. On sait seulement que le château, le parc et les jardins de Choisy furent divisés en lots et vendus aux enchères le 18 mai 1792. La commune, trop pauvre, ne

Le 23 février 1908 inauguration d'une plaque à la mémoire de Danton. Cette cérémonie fut présidée par Clemenceau.

Dans un tout autre ordre d'idées, c'est à Choisy (en 1912) que la *fameuse bande à Bonnot* fut arrêtée.

En 1910, Choisy devait connaître une terrible épreuve : *les inondations.* Fin janvier, le quartier des Gondoles était entièrement sous les eaux : 2,50 m d'eau avenue Victor-Hugo, 2,54 m avenue de Villeneuve-Saint-Georges ; 2 m avenue d'Alforville, 2 m à l'intérieur de l'église des Gondoles. Sur la rive gauche, la place Carnot était inondée. Douze cents sinistrés durent être hébergés. Durant des mois et des mois, une fois de plus, Choisy-le-Roi dut panser ses plaies.

Puis vint la guerre de 1914-1918 : 621 soldats de Choisy y trouvèrent la mort, sans compter le grand nombre des blessés.

Et c'est 1939 : la guerre, l'occupation, la résistance : 84 soldats tués, 12 F.F.I. morts au combat, 28 en déportation ; 64 victimes des bombardements.

La municipalité est dissoute. Elle est remplacée par une délégation désignée par le gouvernement de Vichy. M. Migneau est nommé maire le 9 mai 1941 ; décédé le 30 juin 1943, il est remplacé, le 27 juillet 1943, sur décret du gouvernement de Vichy, par M. Loireau.

Après la libération, le 25 août 1944, le Comité de libération nationale est présidé par le docteur Léger, jusqu'à l'élection en 1945 du conseil municipal.

Pour la première fois de son histoire, Choisy a alors, de 1945 à 1947, un maire communiste : Alfred Lebidon. Marcel Cachin, qui habitait Choisy, est élu conseiller municipal. Il décline, en raison de ses tâches multiples, la proposition qui lui est faite de devenir maire.

De 1947 à 1959, la commune est administrée par M. David

---

put rien acheter. Les demeures royales disparurent les unes après les autres, pierre après pierre. Il ne restait, il y a une quinzaine d'années, que quelques vestiges à l'emplacement actuel de la résidence du parc, proche de la mairie.

(socialiste), puis par M. Sergent. Depuis 1959, elle est gérée par un conseil municipal d'union démocratique, dont je suis le maire.

Voici la liste des maires successifs de Choisy-le-Roi :

Vaugeois	1790-1793	Rostaing	1892-1895
Guérin	1793-1794	Guillaume	1895-1896
Duchef	1794-1796	Imbert	1896-1898
Caron	1796	Brault	1898-1900
Dumoulin	1796-1799	Chéron	1900-1901
Trazier	1799-1801	Rondu	1901-1919
Joret	1801-1806	Levesque	1919-1921
Duchef de la Ville	1806-1815	Petit	1921-1925
Genty	1815-1821	Tirard	1925-1927
Paillard	1821-1824	Gourdault	1927-1936
Genty	1824-1829	Migneau	1936-1943
Boivin	1829-1839	Loireau, docteur	1943-1944
Hautin	1840-1843	Comité Libération Nationale	
Rond	1843-1847	(25 août 1944)	
Ancelet	1847	Léger, docteur	1944-1945
Boivin	1847-1853	Lebidon	1945-1947
Normand	1853-1856	Lantheaume	1947-1948
Lagoutte	1856-1870	David	1948-1953
Bayvet	1871-1876	David	1953-1955
Brault (Père)	1876-1881	Sergent	1955-1959
Carle	1881-1885	Dupuy	1959-1965
Noblet	1885-1887	Dupuy	1965-1971
Machelard	1887-1891	Dupuy	1971- ?
Mestais	1891-1892		

Telle est la longue histoire de Choisy-le-Roi.

En l'évoquant ici de manière schématique, j'ai tenu, non pas à faire œuvre d'historien, mais à situer les différentes étapes de la formation de la ville pour souligner les traits qui font son originalité.

Pour administrer une ville, il me paraît en effet nécessaire d'en connaître l'évolution pour, tout à la fois, faire revivre son passé et conserver son caractère.

Faire revivre son passé pour que ses habitants connaissent leurs ancêtres et mesurent le chemin parcouru. Nous nous y attachons actuellement par un vaste programme d'expositions et de reconstitutions historiques.

Conserver son caractère : l'entreprise est beaucoup plus difficile.

Choisy-le-Roi compte aujourd'hui 45 000 habitants. Les prés, les champs et les vignes qui couvraient son territoire sont aujourd'hui occupés par des usines et des immeubles. En 1948 — ce n'est pas si loin — j'allais encore me promener à travers les champs de blé dans le quartier de la Cuve... Le cœur de Choisy avec ses vieilles rues, la halle du marché, les boutiques... se transforme en cité moderne.

Le béton a remplacé les vieilles pierres : c'est, dit-on, le progrès. Faut-il s'en réjouir ? Faut-il le déplorer ? Les vieux Choisyens regardent le cœur serré des tours immenses s'élever à la place de leurs vieilles maisons. Comment ne pas les comprendre ? Comment ne pas regretter que l'on ne puisse reconstruire un centre ville avec des espaces verts, des jardins publics... Mais justement, on ne le peut pas. On ne le peut pas car il faut se plier, bon gré, mal gré, aux impératifs : les collectivités locales sont condamnées à gérer les affaires de leurs villes dans certaines conditions...

Certes, on ne saurait vouloir conserver tous les vestiges du passé et si l'on peut regretter la disparition du château, du théâtre... sinon la disparition de la Pompadour ou de la Du Barry, on peut essayer de conserver ce qui existe encore des quartiers tranquilles comme ceux des Gondoles, du Parc, essayer de faire en sorte que Choisy-le-Roi ne se transforme pas en une ville anonyme.

Essayer...

Pour une gestion sociale moderne, démocratique
Contrat communal
proposé par le parti communiste français
(déclaration d'octobre 1970)

Dans chaque commune de France, les citoyennes et les citoyens vont élire leurs conseillers municipaux. Ces élections revêtent une grande importance pour la vie de chacune et de chacun de vous, pour l'évolution politique de notre pays.

Mettre les communes à l'heure de notre temps.

L'essor des sciences et des techniques est une caractéristique de notre temps.

La grande majorité des Français se concentre dans des villes, voire dans d'immenses agglomérations comme la région parisienne.

Ces transformations posent des problèmes sans précédent à la campagne comme à la ville.

Pour mieux les résoudre les communes doivent prendre toute leur place dans la société : participer collectivement aux opérations d'urbanisme, contribuer à l'équilibre entre l'emploi et le logement social, concourir plus efficacement à la satisfaction des besoins des hommes.

Mais les puissances d'argent, qui contrôlent l'économie et dominent l'Etat, veulent utiliser les communes pour satisfaire leurs appétits sans frein et pour accroître leurs

profits. Leurs représentants, U.D.R., indépendants, centristes et autres « réformateurs », cherchent à faire main
basse sur les villes et les villages.

Il faut les mettre en échec.

Il faut prendre une route nouvelle.

Il faut mettre les communes à l'heure de notre temps.
La France a besoin d'idées audacieuses et réalistes, d'une
conception neuve de la vie économique, politique, sociale
et culturelle.

Les communistes vous proposent un contrat communal
pour des solutions sociales, modernes et démocratiques.

Nous vous demandons d'en débattre avec nous.

Nous ne le réaliserons qu'avec vous.

Une gestion sociale au service de la population.

La commune a pour vocation de servir ses habitants, de
défendre les intérêts de l'ensemble de la population.

Logement, enseignement, sport, santé, cadre de vie,
culture : les hommes et les femmes ne vivent pas que dans
l'exercice de leur métier ; ils ont besoin, pour eux et leur
famille, de se détendre et de se recréer, d'enrichir et d'em-
bellir leur existence.

Mais la vie n'est pas ainsi faite dans la France d'aujour-
d'hui. C'est un devoir pour la commune de défendre toutes
les victimes d'une politique qui frappe directement les
ouvriers et les employés, atteint les intellectuels dans leurs
conditions de vie et dans leurs droits, maintient la ségrégation
scolaire, hypothèque l'avenir de la jeunesse, aggrave la
condition féminine, en même temps qu'elle menace jusque
dans leur existence les artisans, petits commerçants et
paysans travailleurs.

La commune doit soutenir les travailleurs, favoriser la
création d'emplois, défendre les usagers des transports, pro-
mouvoir une politique de logement social, œuvrer pour une
enfance heureuse, aider les plus déshérités : personnes
âgées, handicapés, femmes seules, chômeurs, immigrés.

Telle est la politique des élus communistes ; malgré les difficultés, grâce au soutien de la population, ils parviennent à des réalisations sociales appréciées.

La commune est la division territoriale la plus proche du citoyen. C'est à son niveau et au niveau des quartiers qui la composent que de nombreux besoins peuvent être, avec la participation des intéressés, le mieux ressentis, définis et satisfaits.

Nous voulons que la ville devienne un lieu d'échanges vivants entre les quartiers.

Le quartier doit offrir un cadre de vie humain avec ses écoles, ses commerces, son centre socioculturel, sa crèche et ses terrains de jeux.

Les habitants cesseront ainsi d'être perdus dans la ville ou dans la cité pour retrouver le contact, exprimer ensemble leurs besoins et défendre ensemble leurs intérêts.

A la campagne, la médiocrité des ressources communales prive les populations rurales des équipements modernes et du confort nécessaire. Le regroupement autoritaire des communes ne résout rien. Par contre, les fusions peuvent être bénéfiques, à condition d'être décidées volontairement par les conseils municipaux et la population.

Il est urgent que dans les régions rurales des solutions nouvelles dignes de notre temps soient apportées aux questions de l'emploi, de l'habitat, de l'aménagement, de l'enseignement, de la santé, du sport et de la culture.

Une gestion moderne et efficace.

La solution des grands problèmes de la France dépend naturellement de l'action de l'Etat. Elle exige un plan démocratique de développement économique et social.

Mais l'Etat français est excessivement centralisé. Malgré les promesses démagogiques, il intervient de plus en plus dans les affaires des communes et les contrôle étroitement.

A notre époque, la solution de chaque problème exige le concours des usagers et des spécialistes les plus divers.

Il faut décentraliser les pouvoirs.

Il faut en même temps coordonner les activités économiques, sociales et politiques, au niveau de la nation, de la région, du département et de la commune.

Décentralisation et coordination permettront, avec le concours d'un personnel qualifié, et grâce aux techniques actuelles, d'adapter les services communaux aux tâches et au rythme de la vie d'une nation moderne.

Moderniser l'administration communale, c'est aussi favoriser et développer la coopération intercommunale.

Les communes doivent pouvoir s'associer démocratiquement pour élaborer ensemble leurs plans d'avenir et réaliser des équipements fonctionnels dans les conditions financières les plus avantageuses.

En coopérant, les communes peuvent organiser plus rationnellement la vie collective, favoriser la création d'emplois proches des lieux d'habitation, obtenir plus facilement l'amélioration des transports, établir la carte scolaire la plus favorable à la jeunesse, rapprocher des habitants les différents services, utiliser à plein les installations sportives et les équipements culturels.

C'est cette coopération qui permettra d'assurer de façon démocratique l'évolution nécessaire des structures communales.

Quant à Paris, il continue à subir un régime d'exception : un préfet tout-puissant, pas de maire, un conseil sans pouvoirs réels ; la population de la capitale est traitée en mineure.

Il faut à Paris un statut démocratique ; la capitale doit obtenir les mêmes droits que nous réclamons pour les autres communes.

Des moyens financiers indispensables.

Une commune sans argent est comme un corps sans oxygène : elle s'asphyxie.

Victimes d'un système fiscal injuste et **inadapté**, les com-

munes ploient sous les charges écrasantes, voient réduire leurs
subventions et restreindre leurs possibilités d'emprunter.
Cependant, les collectivités locales assurent les deux tiers
du coût des équipements collectifs. Et le VI⁰ plan, élaboré
par le gouvernement, prévoit d'aggraver encore l'inégale
répartition des charges et des ressources entre l'Etat et les
communes.

Le montant des impôts devient insupportable pour les
familles à revenus modestes. Dans l'immédiat, le calcul
de la contribution mobilière devrait tenir compte des ressources des habitants ; celui de la patente devrait être
démocratisé.

Mais surtout, la France a un besoin urgent d'une réforme
démocratique des finances locales. C'est ainsi que le système
des subventions d'Etat place les décisions du conseil municipal sous la dépendance du pouvoir central : peut-on
parler dans ces conditions d'autonomie communale ?

La solution moderne et démocratique consiste à donner
aux communes les moyens financiers nécessaires pour
répondre pleinement aux besoins de leurs habitants.

Dans le cadre de la législation actuelle, nous agirons pour
que les communes obtiennent davantage de crédits et
d'emprunts.

Pour l'avenir, nous voulons qu'un pourcentage suffisant
du revenu national soit réservé à l'ensemble des communes
et qu'il soit réparti entre elles selon leurs besoins, par des
méthodes démocratiques. A charge pour elles d'utiliser
au mieux cet argent.

Il est nécessaire que les communes puissent réaliser des
emprunts dans de bonnes conditions. Celles dont l'expansion
rapide exige de gros investissements doivent bénéficier de
mesures spéciales dans le contexte d'une programmation
régionale.

Il faut mettre fin à l'accaparement des terrains par les
banques. Les communes doivent pouvoir se réserver tous
ceux qui sont indispensables à l'implantation de zones
d'emploi, aux équipements publics, au logement. Il est
bien entendu que les intérêts légitimes des habitants

concernés par ces opérations seront scrupuleusement
sauvegardés.

Ces diverses mesures procureront aux communes les
moyens nécessaires à une gestion mise au service de la
population.

Une gestion démocratique.

Les citoyens entendent aujourd'hui participer à la direction des affaires qui commandent leur destin.

Cette exigence est juste.

Nous, communistes, voulons lui donner la vie.

Dans les affaires de la commune, comme dans celles du
département, de la région et de la nation, nous voulons
que la démocratie, s'appuyant sur des assemblées élues au
suffrage universel et au scrutin proportionnel, fasse de
chaque Français un citoyen à part entière.

Nous disons que les pouvoirs des conseils municipaux
doivent être étendus et que les élus, en nombre suffisant,
doivent disposer des moyens de remplir leur mandat.

Dans les municipalités qu'ils dirigent, et dans celles auxquelles ils participent, les élus communistes veulent associer
plus encore la population à la gestion des affaires communales.

Ils s'efforcent, avec les modestes moyens municipaux, de
garantir à tous les droits à l'information ; sur chaque problème, ils soumettent à la discussion et au jugement de
tous les solutions possibles ; ils associent les usagers à la
gestion des équipements publics ; ils font appel à la fois
à l'esprit critique et au sens des responsabilités ; ils stimulent
l'action des habitants pour obtenir les moyens de satisfaire
leurs besoins.

Les municipalités communistes favorisent l'activité de
multiples associations, syndicats, amicales, comités.

Commissions, groupes de travail, comités de quartiers
peuvent animer également cette participation.

La gestion d'une commune nous concerne toutes et tous, individuellement et collectivement.

Lorsque les réactionnaires, quelle que soit l'étiquette sous laquelle ils se présentent à vous, parlent de « participation », comment leur faire crédit ? Comment pourraient-ils associer la population à leur action communale puisqu'ils servent en fait les intérêts d'une minorité de privilégiés ?

Nous, au contraire, nous pouvons véritablement associer les citoyens et les citoyennes à la gestion des communes parce que les solutions réalistes que nous venons de vous exposer sont conformes aux intérêts de l'immense majorité de la population. Elles répondent à notre sincérité.

Concluons ensemble, vous et nous, un contrat pour une gestion municipale sociale, moderne et démocratique.

Comment remplir ensemble les termes de ce contrat ?

Nous vous appelons à participer avec nous, dans chaque commune, à l'élaboration du programme municipal que défendront ensuite nos candidats.

Mieux : nous vous convions à participer activement à sa réalisation.

C'est avec votre concours, c'est avec l'aide de la population que nos conseillers municipaux, prenant leurs responsabilités dans le cadre des pouvoirs qui sont les leurs, appliqueront le programme sur lequel vous les aurez élus.

Des listes d'union pour une gestion municipale sociale, moderne et démocratique, qui comprendront des candidats communistes compétents et dynamiques, mais aussi des hommes et des femmes représentant les diverses couches sociales et animés de convictions démocratiques sincères. Voilà ce que nous vous proposons.

En scellant avec nous ce contrat, en soutenant les candidats qui s'engageront à le réaliser, vous ne vous prononcerez pas seulement pour une gestion municipale qui répondra à vos intérêts.

Vous vous prononcerez en même temps pour l'union de l'immense majorité de la population, pour l'union des salariés des usines et des bureaux, des ingénieurs, des techniciens, des enseignants, des paysans, de tous ceux

et toutes celles qui vivent honnêtement de leur travail et
de leurs talents. Tous ceux-là — et vous en êtes —
souffrent aujourd'hui des méfaits qu'engendre la domina-
tion des grandes sociétés capitalistes sur la vie du pays.
Comme eux et avec nous, vous voulez un changement
profond de politique. Pour cela, il n'y a qu'un moyen :
les forces ouvrières et démocratiques doivent cesser d'agir
en ordre dispersé ; elles doivent unir leurs efforts.

C'est ce que veut le Parti communiste français.

En soutenant les listes que nous présenterons, vous don-
nerez de nouvelles chances à nos efforts unitaires.

Vous voulez et nous voulons une France nouvelle, une
France où il fera meilleur vivre.

Les collectivités territoriales et la décentralisation
(Chapitre III du Programme commun du gouvernement de la Gauche)

Afin d'assurer une participation réelle de tous aux décisions qui les concernent, il sera procédé à une décentralisation poussée.

Cela suppose que soit renforcée l'autonomie des collectivités territoriales pour le transfert de moyens importants d'études, de décisions, de gestion et de financement, de l'Etat vers les collectivités locales.

Cela implique un développement de la démocratie locale, c'est-à-dire des possibilités de participation des citoyens au devenir de ces collectivités.

Le régime électoral des assemblées départementales et communales sera modifié pour permettre dans tous les cas une représentation démocratique et plus fidèle de la population du département de la commune.

La commune.

L'autonomie communale sera renforcée grâce à la suppression du contrôle *a priori* du préfet et des services financiers et techniques de l'Etat. Seul restera un contrôle *a posteriori* sur la légalité des décisions prises. Mais l'autonomie communale sera surtout renforcée grâce aux moyens supplémentaires allouées aux communes.

Une nouvelle répartition de ressources entre l'Etat et les collectivités territoriales assurera aux communes des possibilités financières accrues.

Une réforme de la fiscalité locale assurera une répartition plus juste de la charge fiscale et une simplification des formalités.

Un système de péréquation entre les communes sera assuré au niveau départemental. Les subventions reçues par les communes seront globales, ce qui donnera à celles-ci la maîtrise de leur affectation.

L'accès à l'épargne sera facilité et les conditions d'emprunt améliorées.

Les élus auront la possibilité de suivre des stages de formation et de consacrer plus de temps à leurs activités municipales sans sacrifices financiers personnels.

Des moyens financiers et statutaires seront mis à la disposition des communes en vue d'un recrutement et d'une formation continue des personnels communaux.

La participation démocratique des citoyens sera assurée par la consultation régulière des associations représentatives de toutes les catégories d'habitants et d'usagers, y compris les étrangers dans des conditions à définir.

Un statut démocratique de Paris assurera à la capitale les mêmes droits qu'aux autres communes. Paris sera doté notamment d'un maire élu par son conseil et disposant de tous les pouvoirs normaux de l'exécutif communal. Des conseils d'arrondissement élus seront chargés de la gestion des équipements et des services destinés à la population de l'arrondissement. Ces conseils éliront chacun leur exécutif.

Le renforcement du pouvoir des communes aboutira à une nécessaire évolution des structures communales. Le regroupement des communes sera encouragé. Aucune décision ne pourra être prise sans la volonté des élus et de la population concernée. La coopération intercommunale sera favorisée par le développement du syndicalisme intercommunal.

Cette coopération est indispensable pour contrôler le développement urbain.

Les **instruments** de ce **contrôle** seront :
— un droit de préemption **des c**ommunes à l'intérieur d'un périmètre d'urbanisation et sur toute transaction immobilière ;
— des moyens juridiques et financiers permettant aux communes de constituer des réserves foncières.

Les autorités responsables de la politique urbaine seront les assemblées élues au niveau municipal, départemental ou régional et, dans le cas des grandes agglomérations, des assemblées élues à leur niveau.

TABLE DES MATIERES

LES COMMUNES AU BORD DE LA FAILLITE
LES FINANCES LOCALES

XI.	— *L'accroissement des besoins*	117
XII.	— *Le budget de la commune*	121
XIII.	— *Un système complexe et archaïque*	128
XIV.	— *Comment les communes subventionnent l'Etat*	132
XV.	— *L'aggravation de l'injustice fiscale*	137

QUATRIÈME PARTIE

POUR UNE GESTION MUNICIPALE
DEMOCRATIQUE

XVI.	— *La conquête des libertés communales*	143
XVII.	— *L'asphyxie financière des communes*	151
XVIII.	— *Pourquoi nous devons lutter*	160
XIX.	— *Les sept piliers d'une gestion démocratique.*	166

CINQUIÈME PARTIE

PRINTEMPS EN LIMOUSIN
OU QUELQUES CHAPITRES INSOLITES

XX.	— *Convalescence au printemps*	199
XXI.	— *Au bord du ruisseau*	205
CONCLUSION.	— *Avoir son but dans la vie des autres*	217

ANNEXES

ANNEXE I.	— *L'histoire de Choisy-le-Roi*	223
ANNEXE II.	— *Contrat communal proposé par le Parti Communiste*	241
ANNEXE III.	— *Les collectivités territoriales et la décentralisation. (Extrait du Programme commun)*	249

ACHEVÉ D'IMPRIMER SUR
LES PRESSES DE L'IMPRIMERIE
DIGUET-DENY A BRETEUIL-S.-ITON
LE 14 AOUT 1975. — Nº 1453
ÉDITIONS CALMANN-LÉVY
3, RUE AUBER, PARIS — Nº 10338
Dépôt légal : 3e trimestre 1975